易卦闡幽

（下冊）

黃漢立 著

蕭若碧
彭德貞 整理

目錄

第七講：蒙卦 5
第八講：謙卦 59
第九講：坎卦 115
第十講：離卦 165
總結《坎》、《離》兩卦 206
《坎》、《離》兩卦對儒道釋三家的影響 222
第十一講：咸卦 251
第十二講：遯卦 305

【第七講】蒙卦

䷃（坎下艮上）

《蒙》：亨。匪我求童蒙，童蒙求我；初筮告，再三瀆，瀆則不告。利貞。

《彖》曰：《蒙》，山下有險，險而止，蒙。「《蒙》亨」，以亨行時中也。「匪我求童蒙，童蒙求我」，志應也。「初筮告」，以剛中也。「再三瀆，瀆則不告」，瀆蒙也。蒙以養正，聖功也。

《象》曰：山下出泉，《蒙》；君子以果行育德。

初六：發蒙，利用刑人，用說桎梏；以往吝。

《象》曰：「利用刑人」，以正法也。

九二：包蒙吉。納婦吉；子克家。

《象》曰：「子克家」，剛柔接也。

六三：勿用取女，見金夫，不有躬，无攸利。

《象》曰：「勿用取女」，行不順也。

六四：困蒙，吝。

《象》曰：「困蒙之吝」，獨遠實也。

六五：童蒙，吉。

《象》曰：「童蒙之吉」，順以巽也。

上九：擊蒙；不利為寇，利禦寇。

《象》曰：「利用禦寇」，上下順也。

卦名闡釋

「蒙」字是由上「草」（雜草）下「冢」（高地）組成，所以「蒙」字的意義是小丘或高地上長滿了植物，結果小丘或高地受到包圍於其外的雜草或植物所蒙蓋或蒙蔽，使其本性、本質不能顯現於外。所以《蒙卦》的卦義從字義引申指如能揭開蒙蓋於其外的事物，就可顯現事物的本性、本質或真貌；再進一步引申，就是人接受教育，汲取了知識，思想受到啟發，就能解除蒙蔽，發展其本性。這裏暗中已寓人性本善，只不過美好的天性和本質被外面的事物或不正當的思想所蒙蔽，如果啟除蒙蔽，他的聰明才智，尤其是德性就會展現出來了。這就是《蒙卦》要講述的中心思想。

《蒙》：亨。匪我求童蒙，童蒙求我；初筮告，再三瀆，瀆則不告。利貞。

「《蒙》：」

指《蒙卦》。

「亨。」

《蒙卦》有亨通之道。

「匪我求童蒙，童蒙求我；」

「匪」，通「非」，即不是；「我」，指蒙師；「童蒙」，想啟發蒙蔽的童子。整句是說不是我首先主動去教導「童蒙」，而是童子為了要去除蒙蔽，來求我教導他。

「初筮告，」

「初」，初次；「筮」，訊問筮神禍福吉凶；「告」，回答。來訊問的人帶着精誠專一、誠懇相信的態度，同一事情，第一次向神靈禱告，神靈就會坦白告訴他未來正確的後果。

古代預測未來的方術主要有兩門，一是商朝的龜卜，利用龜甲或牛胛骨經火焙烤後呈現細小裂紋，然後根據裂紋的形狀來預測未來事情的吉凶；一是周朝的占筮。由於周朝社會以農業為主，蓍草具有神異性質、功能，兼且易得，於是周人改用蓍草占算，通過數學的方法，最後剩下若干策（蓍草用於占筮的名稱），以此決定吉凶。這兩門預測未來的方術，占筮用的是數字，而龜卜用的是簡單的線條圖像。數字今天主要用於運算，但在古代被認為擁有神秘的象徵意義，它能影響宇宙、萬事萬物和人生的禍福吉凶，這是中外原始民族共有的想法。《周易古經》就是認為數字具備了這種特殊的意義，再加上運用爻畫形成的「象」以示意，所以較龜卜複雜，較進步。龜卜圖像發展到最高的哲學層次只是兆象，沒有《周易古經》所用的數，更沒有《周易古經》的象可寓事物之理法，和補充卦爻辭文字意義遺漏或不足的優點，所以到了今天，龜卜已成為歷史陳跡；但《周易古經》則由於它的結構、理論可持續發展、完善，使它脫離了占筮，進一步發展成為高級的哲學思想，並可隨時代的進步而改進。

「再三瀆，」

「再三」，再次以至三次去訊問；「瀆」，褻瀆、瀆亂，引申有輕慢，不相信，不嚴肅認真之義；在這裏應解作淆亂，擾亂了正常合理的思想和做法。一般人進行占筮，如預測的結果不吉，常會不接受，會再度占筮，直至有滿意的結果為止。因此如帶着懷疑輕蔑的態度再次、三次占筮，就會混淆了神靈原先第一次所給出的正確判斷。

「瀆則不告。」

態度如此輕慢，神靈就不會再告訴你占筮的結果。傳統解釋有兩層意思，除了依照字面解釋是向神靈訊問之外，更主要以為這是譬喻，藉此說出教育啟蒙的要點。古人認為《周易古經》的寫作有其嚴謹的體系，每一卦都有一個主題，有系統地講述一事（內容缺乏一貫性的只屬極少數，是例外），所以這個卦是藉占筮譬喻教學之道。原始人類不知道通過繼承、教育、學習等方法以求取知識，結果因迷惑無知而墮入各種險境和無法解決生活上的種種問題，但如人通過教育，便能更快更有效地獲得知識，就可以藉此避開很多災害，並藉此改善人生。這跟神靈指示人如想走向幸福的未來，須積極地培養才幹和消極地避免災害，都是同一意義的。

我們接受傳統的解釋，認為「初筮告，再三瀆，瀆則不告」，是說教與學兩者之間的關係。當學生心中有疑難，誠懇焦急地向老師訊問時，老師就很誠懇地解答他的問題。但學生不相信、懷疑答案，再問東問西，如老師再從各方面去解釋，可能就會偏離正確的答案，反而更令學生的思想感到淆亂，無所適從。因此，老師不再告訴他，讓他自己動腦筋去想。所以「不答之答」，是教學的另一種方法，因為如學生真心追求某種知識，你不告訴他答案，他就會自行多方面尋找，這可能是獲得學問的更佳途徑。

「利貞。」

「利」是適宜於；「貞」是守持正固；合起來是利於守持正道。換言之，教育事業須用正道以行之。所謂「正道」，一則是針對教師，須遵從教學的正道，就是一開始教導學生，行動思想都要使學生合乎正道，那麼他從小就接受正道，跟人類天生的善性吻合，他的善性就可開啟了。或者可套用西方心理學的說法，孩童的腦袋有如一張白紙，可給它染上不同的顏色，一切對錯觀念，都是旁人給予的；而且這些觀念先入為主，以後很難改變。其實梁隋時顏之推的《顏氏家訓》也有類似說法，演變成今天的俗語：「初歸新婦，落地孩兒」，就是指給予正確教育的關鍵時機在於兒童年幼之時。二則是針對學生，學生亦須以正道為學習的內容。

《彖》曰：《蒙》，山下有險，險而止，蒙。「《蒙》亨」，以亨行時中也。「匪我求童蒙，童蒙求我」，志應也。「初筮告」，以剛中也。「再三瀆，瀆則不告」，瀆蒙也。蒙以養正，聖功也。

「《彖》曰：《蒙》，山下有險，險而止，蒙。」

《彖傳》從卦象、卦德解釋卦辭說：「山下有險」，指《艮》山之下，有《坎》水之險。「山」是上卦《艮卦》的卦象，「險」是下卦《坎卦》的卦德。「險而止」，「險」是因為《坎》水，「止」是《艮卦》的卦德。這是藉卦象、卦德解釋卦名為「蒙」的意義。

《蒙卦》下卦是一剛爻處於兩柔爻之中，上下兩柔爻屬陰，象徵大地、靜止，剛爻是陽，象徵活動，合起來象徵大地之中有物不停地活動，這就是象徵河流的《坎卦》。《坎卦》在天上象徵雲或雨，在大地象徵水或泉。北方水流湍急難渡，人容易遇溺，所以《坎卦》的卦德是險。《坎卦》的另一卦德是陷，因為陽爻被兩個陰爻所圍困，等於被囚禁，好像野獸跌進陷阱無法脱身，因此《坎卦》也等同於陷阱，陷阱自然就是危險了。《蒙卦》上卦是一剛爻處於兩柔爻之上，兩柔爻同樣是大地的象徵，而陽的性質是向上升，多以少為貴，眾以寡為尊，於是唯一的剛爻主宰着整個三畫卦，帶同柔爻象徵的泥土向上升出地面，這就是象徵山的《艮卦》。但山一直隆起，到了極限，就會停止不動；另外高山難上，行人止步，所以《艮卦》的卦德是止（靜止），引申亦有阻止人向前行動之意。

「山下有險，險而止，蒙」，在《艮》山之下，有《坎》水之險，這兩個單卦組成甚麼意義呢？《艮卦》在上，象徵在外或在上或在前為山，高山阻隔人通行來往，加上卦德為止，象徵阻礙人繼續向前行。而《坎卦》為險在內卦，象徵在內或在下或在後有危險。綜合上下兩卦之義，便是出外遇上阻隔，停止不能前行；而在內在後亦有危險，進退兩難，內心迷惑，不知道怎樣解決！這就是「蒙」。《彖傳》首先結合了卦象和卦德來解釋卦名為「蒙」的意義。

「『《蒙》亨』，以亨行時中也。」

《彖傳》解釋「《蒙》亨」，是說《蒙卦》本有亨通之道。為甚麼？從易學來說，事物最終會走向反面，即物極必反，所以蒙不會終蒙，而會走到蒙的相反面「不蒙」，此其一。其次，蒙只是蒙蓋其本質本性之外的事物，終有去除的時候，去除了蒙蔽便「不蒙」，此其二。「不蒙」便會顯現其本質、本性，順着本質、本性發展，那便是「亨」。而更重要的是《蒙卦》是《艮》山之下出《坎》水，古人認為泉水最初從山中流出去的時候，未知何所適從，碰到高山、沙石泥土的阻塞，不能繼續前行，但水流最後會流向適當的方向，終於沖開層層泥土沙石的阻塞，匯成河流，最後流入大海，因此《坎卦》本有亨通之義，所以是「蒙亨」，此其三。《坎卦》為水，推動坎水流動不息的原動力來自中間的剛爻，這一陽剛中爻，來自《乾卦》的中爻，因此具備《乾卦》永恆無息自強的德性，能夠勇往直前，終於能夠衝破一切險阻，由點滴之水變成長江、黃河！所以它是「自亨」，即通過自我的努力作為得到亨通。

「以亨行時中也」，「以亨行」，以「自亨」行「亨蒙」之道。「亨」是指上文所說的三點「蒙亨」之道，暗指正確合理能行得通的教育之道，「以亨行」是指根據《坎卦》中爻能夠自我發蒙之道，開啟一世之蒙。這可引申象徵在人類遠古蒙昧無知之時，有人自覺，自我開啟、發展了本有的德性和認知能力，有了些少知識，並且將他所感悟的做人道理和知識才能傳授給他人，這便是《孟子．萬章下》所說的：「天之生斯民也，使先知覺後知，使先覺覺後覺。予，天民之先覺者也，予將以此道覺此民也」，這樣師道開始萌芽，人智漸開，經過一段時間，人類便從原始野蠻時代逐漸過渡進入文明時代。「時」泛指適當的時機，在《蒙卦．彖傳》所指的「時」則主要指《禮記．學記》所說「當其可之謂時」的「時」，意指達到可以接受教育的時候就要進行教育。這「時」有常規的「時」，例如教育須及早從童稚開始。更有隨時、及時的「時」，例如學生渴望求知之「時」；或者學生自知不足，有誠懇求教、求師解除疑惑之「時」。而老師作出適當的回應，施以適當的指導、啟發、棒喝，使他受到感悟，從此自我發蒙進德修業，這才是《蒙卦》所應注意的「時」。「中」是指教育要用中道，意指要因材施教，啟發學生的興趣，好好誘導他，用正道使他潛移默化。九二爻象徵啟蒙的老師，他在中位是得中，具備中德，用自我啟蒙的所得，以先知覺後知，以先覺覺後覺，採用適當的言行和思想去教授學生；而六五處於卦中最尊貴君主之位，又象徵年紀尚輕須要接受教導的童蒙。因在中位，思想言行得當；加上是陰爻，陰為虛，所以能夠虛心接受九二蒙師的教誨，以尊貴的身份，虛心從師學習，帶領全民學習，因此教和學的「時」（時機）都適當。

「『匪我求童蒙，童蒙求我』，志應也。」

「我」，指九二，是蒙師；「童蒙」，指六五，是虛心的受教者。《彖傳》解釋卦辭「匪我求童蒙，童蒙求我」，原因是由於「志應也」。思想、感情都可叫做「志」，「應」是說師生的思想感情行動一致。《易經》特別注重「應」，由於「應」是兩個或兩個以上的人或事物才做得到的，故分為「感」和「應」。「感」是一方心中有所感，有個想法，然後有所行動；這一方的想法或行動引致另一方人或事物的響應、支持，認為說出了他們的心聲，於是有所回應、響應其行動，那就是「應」。故「感應」是雙方面或多方面才能達成的。

「志應」是老師和學生之間的情志、行動互相感應。學生須有跟隨這位老師學習之心，然後老師接受了他的「感」而作出回「應」，去教導他，那就是合理的；甚至要講究：第一，學生應主動跟隨老師學習，老師是被動去教導他們，《禮記．曲禮》說：「禮聞來學，未聞往教」，便是指此而言；第二，老師須善於等待學生發問，《禮記．學記》說：「善待問者如叩鐘」，善於等待學生發問，有如敲鐘，輕力去敲，鐘發出的聲音就小，大力去敲，鐘發出的聲音就大，即小問小答，大問大答，不問不答。所以如講「志應」，首先要學生感到知識不夠，徬徨無主，帶着誠懇迫切求知之心希望老師解除他的迷惑，然後老師有所回應。但請注意：假使老師平日並不是樂於教人，學生也不會找他指導。所以雖說老師「未聞往教」，但他已懷着有教無類、樂育天下英才的心志，亦即平日已有所表現，為人所知，學生才會向他請教。因此老師是「應」，其實也可說他是

「感」，雙方面共同配合，大家目標一致，那才會做得到。

「『初筮告』，以剛中也。」

卦辭之意說最初他跟隨我學習，我會根據他的情況、他的渴求程度，不多也不少地教導他。《彖傳》進一步解釋是由於「以剛中也」。「以」是因為；「剛」是指卦中的剛爻；「中」是指位置。二爻和五爻在上下兩個三畫卦中都是位於中間，但五爻是柔爻，是柔中，所以「剛中」是指第二爻。

陽代表光明，陰代表黑暗，人類文明落後的時代就稱為「黑暗時代」；文明的時代就稱為「光明時代」，西方也有這樣的說法。「黑暗」象徵人類的愚昧無知、無所適從；「光明」象徵人類明確了解事物。將之類比，凡是柔爻就是無知、需要接受教育的蒙昧的人，剛爻就是傳播知識的教師。所以卦中的四個陰爻在這個卦中有特殊意義，它們都是待啟「蒙」的學生或人，二爻及上爻兩個陽爻則是啟蒙的老師。但兩陽爻的性質有異同，只有九二爻才稱得上「剛中」，這位老師具備了陽剛合理的道德，加上想法和做法都合乎中庸之道；「剛」是指他道德的偉大。儒家最崇尚的是「剛」德，孔子所講的「剛」

不是指蠻來的剛猛，而是指合乎最高的正義，自己雖是力弱，但正如孟子所說，只要合乎正義，「雖千萬人，吾往矣」。所以「剛」是指從道德良心產生的一種捨己為人的精神，如只是野蠻地堅持一些不合理或只與個人利益有關的要求，就完全違背了「剛」的精神，這便是「無欲則剛」，陽爻就是代表了這種光明峻偉之德。「中」是適當，從事情的各種不同做法中，找出最合理的做法。因為二爻具備陽爻剛直的德性，又知道最適當的做法，所以象徵老師能夠用最適當的方式和內容教導學生和回答學生的提問。

「『再三瀆，瀆則不告』，瀆蒙也。」

接二連三向神靈或老師訊問，就是懷疑神或老師的答案，由於不相信，因而希望聽到第二、第三種不同的答案，這些前後不同或差異的答案會淆亂了求筮或求學者的心志，反而更增加了他的疑惑，所以不回答。「瀆蒙也」就是指混淆、瀆亂了童稚的心志。

「蒙以養正，聖功也。」

「蒙以養正」，蒙稚的時候，以正道培養、擴充他的德性，「蒙」得到合適的「養」，思想和行動便都會合乎正道。「蒙」是蒙蔽事物的本性、本質，但亦可從另外一角度解為因有外面事物的保護，因而能夠保持自己的本性，在人類來說，即是不受「異端邪說」所迷惑。因此在「蒙」的階段，能保持固有的善良天性，就可自我培養人生正確發展之道，那將來做賢人君子、甚至成為聖人，都是以此作為基礎的。

「聖功也」，致聖、作聖的功夫，即達致聖人的最重要功夫，即開始是「蒙」，最終成為「聖」人。凡用到「功」字，是指個人用了合理的方法努力持久去做一件事所得到的成果。這裏是說，保持着「蒙」——小孩子天真淳厚的天性，再由此養蒙，便可發展成為良好的德性。小孩子天性孝順父母、尊敬兄姊，假使把小孩子這份發自天性的愛敬之心逐漸培養，擴充變成行為，這種行為就是儒家順其天性發展成為孝、弟的道德。再者，在小孩子懞懂無知的時代，保持謙虛、順從、學習的天性，這種天性的持續發展，逐漸可推己及人，對人謙恭順從，這就是人類禮制的來源。禮制能令人類融洽相處，是社會幸福快樂、治安穩定的基礎。推而廣之，儒家所重的道德，大都可以從童稚的天性中發展擴充而成。所以由「蒙」可培養出正道，再由此擴充，便是成為聖人的基礎。

《彖傳》「蒙以養正，聖功也」，是解釋卦辭「利貞」二字的。「利貞」，是利於守正固，但正固之事極多，因此《周易古經》的第二卦《坤卦》卦辭便說明《坤卦》之「貞」是「牝馬之貞」，《彖傳》承其意在《乾》《坤》《屯》三卦之後，特別藉此說明《蒙卦》卦辭所說的「利貞」，是「蒙以養正，聖功也」。這是開宗明義指示學易的人應知六十四卦的卦辭和三百八十四爻爻辭所說的「利貞」，守正固是其總原則，而所守的正固內容則須體會卦時、卦義，爻時、爻義以配合，因此我們應當在此深思細察，以了解各卦各爻「利貞」二字同中有異的義蘊，這樣學易才會有所得。

《象》曰：山下出泉，《蒙》；君子以果行育德。

「《象》曰：」

《大象傳》體會《蒙卦》上下兩經卦結合所成的義象。

當說到「象」的時候，最嚴格的說法是把具體的事物變成抽象的義類，義類指同類事物共有的性質和變化的規律，因此「象」也包含了卦德。

「山下出泉，《蒙》；君子以果行（讀如『行動』之『行』）育德。」

《蒙卦》的卦象上卦象徵山、下卦象徵水，所以是山蒙蓋着泉水。泉水要解除蒙蓋，才能從山中流出來，所以稱這卦象為「蒙」，《蒙》取蒙蓋之義，這是第一點。第二點，凡是山中流出來的泉水，是水的源頭，剛流出來之時，水勢必定還很微弱，可能只是涓滴之水，細微如沙石都會對水流造成阻礙，更不用說大山大石了，儘管如此，無論前方有甚麼阻礙，山泉總是百折不撓，逢險過險，勇往直前地流向理想的目的（因為中國地勢西北方高東南方低，所以河流總是以東方作為它流向的終極目標），結果就連阻塞它前行的大石頭都會被它磨出深坑，穿越而過，這種行為就是「果行」，「果」是果斷、持續、勇敢。下卦是《坎卦》，坎為水，《坎卦》的中爻陽剛中正，所以能夠「果行」。古人觀察山中泉水持續地朝着一個目的前進的過程中，表現的不畏艱難、果敢、持續的行動，鼓勵我們也必需具備這種果行的精神，以自己的身體實踐「果行」，即靜而以身果行。

另外，泉水剛從山中流出來大都是清澈的，「在山泉水清」象徵事物的純粹、完善，人性之初也是這樣蘊含着善性；而泉水一直停留在山裏，默默不動地儲存，到了適當的時候，才變成泉水流出山外。它在山內靜止的過程，就是流動之前的涵養過程。最初流出來的清潔泉水象徵泉水的德性，可用來比附人的天生德性。人從泉水流動中學習涵養道德，也是個從靜止到發展、從內而外、從體內展現到體外（外界）的過程。所以育德是涵養其德。仁者樂山，孔子以山具備仁德，上卦為《艮》，艮為山、為止，所以《大象傳》説人當仿效《艮卦》靜而以心涵養仁德，而仁德即包含儒家所説的諸德。

一個人如口中説的是仁義道德，但內心邪惡，行為邪惡，這就不是「果行育德」；「育德」應如山之靜止，制止一切邪念和不合理的行為，逐漸培育出德性。因此看了「山下出泉」這個卦象所顯現的大自然規律，從而據此建立做人的規律，得出「果行育德」的教訓。「果行育德」表面上是兩件事，實際上是一件事，如果不先「育德」，沒有建立人生正確的信念，又怎能有百折不撓、勇往直前的行動？因此「育德」是「果行」的必需條件。反之，「果行」將所育之德真正從身內擴展到身外，付諸實踐，才不是空言；因此「果行」是通過實踐，以印證「育德」的合理性，更將德性進一步提升。因此「果行」是加強「育德」的基礎，兩者是二而一、一而二，彼此互補的。

「君子」，這裏主要是指儒家所講有道德、有教養的人，不是專指古代的貴族。孔子後學詮釋《周易古經》，固然是為統治者、貴族立論，更是為一切人立論，專門為君主或貴族立論的不多（六十四卦《大象傳》「大人以」、「上以」各一見、「后以」兩見、「先王以」七見，共十一次專指君主，其餘五十三次都是「君子以」，針對君子而言）。

初六，發蒙，利用刑人，用說桎梏；以往吝。

「初六，」

「初」指爻位最下，「六」指它是陰爻。

「發蒙，」

「發」是啟發；「蒙」是蒙昧。

「利用刑人，」

利於憑藉刑人。「刑」字有兩種不同的解釋：第一是法律上所講的刑法；第二是和「型」字相通，可以為儀型的人，指效法正人君子的言行。第一種解釋，則是說啟蒙最宜運用法律來規範人的行為。

「用說桎梏，」

「用」是憑藉；「說」即「脱」，兩字古代相通；「桎」和「梏」都是木製的囚具，「桎」是用來鎖着雙腳，而「梏」是用來鎖着雙手；合起來是說憑藉法制規範人的行為，便可避免犯罪受困禁的刑法，這是第一種解釋。第二種解釋是效法正人君子的言行，便可解除蒙蔽身心的事物，原有的天性便能顯現，油然發展。

「以往吝。」

「吝」是《易經》五個基本的判斷詞之一，意指不知悔改，是可羞恥的事。這三個字，與上文意義似不連貫，較為難明。今天的新派易學家乾脆說講的是另一回事，指占筮問出門或進行某事，結果是「吝」，即行不通。「吝」字清代人新解：「吝」、「遴」相通，「遴」，行難也。如根據古代的解釋，「以往」是指繼續以前（只知運用刑法來制裁人，認為這是治理人民最好的方法），那就是「吝」了。初爻象徵着這個卦時間和空間的開始，象徵人的年齡（時）和地位（空）都在最初、最低階段，如是年齡最初，指童稚之時；如是地位最低，指基層的民眾。古代教育並不普及，只有貴族這一小撮人才有機會接受教育，因此站在國家的立場，如何去教育低層的民眾？所謂「低」也象徵聰明才智較低的人。國家如何去教育智力較低的人？首先是建立法律，以法律來引導規範這些人的行為。普通人由蒙昧無知、沒有規範、不守秩序、胡亂做事，學會遵守一定的做人規矩，已是一種教育。但這種只講法律、沒有給予真正的教育是儒家所反對的。只有法家才主張以法為先，無需讀書。所以，如認為法律是萬能的，是可羞恥的事！

「刑」字的第二個解釋是效法。「童蒙」在最初的學習階段最需要接近正人，聽正言，受到正人行動的影響，模仿他們正確的行事方法，無形中便可養成正確的思想和合理的行為。注意：中國傳統的教育注重如何做人，知識的傳授反是次要的。《尚書．堯典》：「敬敷五教在寬」，「五教」是教導在君臣、父子、兄弟、夫婦、朋友五種不同的人倫關係中如何做到最好。《蒙卦》也是以此為教，發蒙最好是以具備崇高道德行為的正人作為榜樣，潛移默化，令「童蒙」天天接近正人，天天聽到正確的道理，見到正確的行為，有了正確的做人標準，鼓舞他自我發蒙，這樣發展下去，就像泉水那樣，勇往直前，

「果行育德」，那就可以做成任何事情。

「用説桎梏」，「桎梏」在第二種解釋中不是指真正的刑具，只是象徵譬喻之辭，引申為外界妨礙「童蒙」本身德性、才智發展的事物。現在通過「刑人」，解除縛束着他的事物，於是他原有的天性就得到發展，自然可成為賢人君子（今天可泛指有道德、有知識、有才幹的人）。

「以往吝」在第二種解釋中，説明要在初爻即童稚的階段及早發展他的天性，要慢慢地培養。過了這最適當的發蒙階段，受到世俗的不良習染深了，就如加上桎梏一樣，無法解除外界的蒙蔽，便會產生羞恥的事。《老子》第五十五章説：「含德之厚，比於赤子」（真正偉大的聖人，所蘊含德性的豐厚，比得上一個赤子）。在老子心目中，認為天真的童子蘊含着人類最優美的一切德性。儒家亦不例外，《孟子·離婁下》亦云：「大人者，不失其赤子之心」，不喪失其童年時候淳厚、明辨是非、熱烈求知、愛護父母兄弟及他人之心，這些都是「大人」所應具備的。如喪失了這種德性，人類就會變得邪惡。因此保持童眞是傳统中國教育的重要主旨。反觀今天，將純眞的兒童教育成世故的「小大人」，這是否適當呢？關心教育的學者請三思之！

爻辭為甚麼說「利用刑人，用說桎梏」？要弄清楚就一定要明白卦象的意義。《坎卦》是水，水無論在甚麼環境中都能保持平面，這可類比它代表公平、公正，所以古代以水喻法律。初爻是位於《坎卦》之內，《坎卦》象徵法律，所以有「刑人」和「桎梏」之象。進一步引申，《坎卦》上下兩陰爻中包一陽爻，即陽陷入陰中；陰代表靜止，也是大地，可以是土地低窪之處，也可象徵陷阱，陽代表運動，兩者組成動物或人或事物跌落陷阱掙扎不已之象，《坎卦》因此是險。人或動物等在陷阱內，引申為被刑具縛束，「桎梏」就是《坎卦》的象徵之一。另外是爻位的問題，初爻位置最低，象徵社會上的基層民眾。不要說古代，即使在今天，我們仍沒有盡力去搞好基層的教育。既然在古代不能人人都可接受教育，因此首先通過一定的法律去規範人的行為，也是一種消極的教育方式。最初只定下某些行為為法律所不容，無須講原因，只要違反了就須受到刑罰，他慢慢就會從遵守法律之餘，明白一些做人的道理。所以初爻說出教育的首要關鍵是確立正確的做人原則和方法，而且變成為法律或風俗習慣的條文，使人無須學習就能跟隨，那就達成不教而教的目的。用這個方法去教導民眾，無知的民眾就不會誤墮法網，被刑具囚禁。「以往吝」，如果只懂立法作為消極的教育，不懂得積極進行真正的教育，那是可羞恥、不合理的。這是從下民之蒙立說的。

另外，從陰陽之位立說，《蒙卦》初六爻屬陰，位置屬陽，這是「不正」，也是「不中」。象徵這個人愚蒙，做事有差錯。正是因為他不正，才要「利用刑人」。「刑人」由具體死板的法律進一步引申，就是去效法思想行為正確的正人君子，以他的言行作為所有人的模範。因此「刑」字是法，「法」即效法。進行教育最重要是以行為典範的人作為「童蒙」效法的對象，那就可以解除「童蒙」的「桎梏」。「桎梏」在這裏是指在外面縛束着他的不合理的思想和事物。以正人君子作為學習對象，那就可以啟發他本有的聰明才智和善性，從「蒙」變為「明」，不會再受外界不合理的言行所蒙蔽。

初爻雖指空間位置，也指時間的開始。「以往吝」，在這階段的時間內，如不進行上述這種教育工作的話，以後再教育就不容易入正道了。這爻說的就是教育要越早越好，而且要盡早以正道解除蒙蔽。

這個卦的義蘊，和後來儒家孟子的「性善說」似乎是相通的，只是《易經》的說法是引而未發，孟子則把它發揚光大。任何人都有學習、掌握知識的能力，和擴充德性的本能，只不過受了外界「異端邪說」所蒙蔽，才失去這些能力。得到正人的誘導，去開發這些能力，就是教育最妥當的方法。小孩子天生對長輩有愛敬之心，愛父母，敬兄長，都是很自然的表現，如我們從這點加以誘導，就可以擴展成為仁德。一般小孩未經世事，性情都是比較溫馴，擁有喜怒哀樂未發的中道精神，感情之發比較中節合理，在他沒有被大人寵壞，性情仍然保持中正平和的時候，就誘導他，最初由中和發展到禮樂，再進一步發展到德義，於是他的行為自然就合乎規矩。亦即是說，將他本有的良知良能加以啟發，就是最理想的教育方法。所以古代老師也分為兩等，一種叫「經師」，只是解釋傳授經書的知識；另一種是「人師」，是以行為人格感召他人，令學生無形中受到感化，自然而然地樂意跟隨他的言行思想。「經師易得，人師難求」，可見中國傳統教育注重學做人，而西方教育則注重追求知識。初爻不中不正，又處於低位，說的是愚蒙下民或任何因為爻位不中不正、不能自動發揮天生才能的年輕人，他們的潛能有待於老師的啟發和自我養蒙。

《象》曰：「利用刑人」，以正法也。

《小象傳》解釋爻辭「利用刑人」背後的象徵意義說：是「以正法也」。「以」是憑藉；「正」是確立，「法」是教育的正確方法，也就是做人的合理方法。

九二，包蒙吉。納婦吉；子克家。

「九二，」

「九」指它是陽爻，「二」指由下往上數處身第二爻位。

「包蒙吉。」

「包」字有包容、包括之義。「蒙」指智識未啟，蒙昧等待啟發的人。易學中以陽代表光明、陰代表黑暗。文化知識以光明為象徵；無知以黑暗為象徵。所以《蒙卦》九二和上九兩個陽爻，都是象徵光明、先知先覺的教師或啟蒙的人；四個陰爻象徵黑暗或需要解除黑暗的蒙者。因此「包蒙」應包括所有的蒙者。但魏晉王弼註解這一句卻說啟蒙的老師被上下四個蒙者所包圍，此說為黃壽祺等的《周易譯注》所採用。不過除了王弼之外，後世的註解家卻認為是陽包容陰，是啟蒙者包圍、籠罩、影響所有的蒙者。個人認為後一解釋較為合乎中文語法。「包」有兩層意思，第一是包容，學生的性情、資質不同，形成有些容易教導，有些難教導；有些聰明才智很高，有些則很差，因此教師要有教無類，無論天份或身份的高低，一概容納，所以卦中四個不同情況的蒙者，都在九二的關懷照顧之內。第二個是引申之義，表示教學的內容和遵守的規條應較寬大，留下空間，只要學生不走出範圍之外的做法都可容許。因此易於學習，也易於過關，讓大家樂意在此範圍內按自己的才智和努力取得應有的成績。

易例，凡是爻辭文字和內容與《象傳》主要精神、思想最接近的那一爻就是卦主。就這點來說，九二和上九都可以說是卦主。因為它們都是啟蒙者，而啟蒙就是《蒙卦》的主題。九二更是成卦之主。以九二與上九相較，九二居中，較不是居中的上九當然更好。故大家同是啟蒙的老師，九二想法合理、教法合理、處事靈活適中，是個較好的老師；上九已是發展到最高位置，陽越高，其性質越發明顯，相對而言，陰越低，其性質越發明顯，所以初六急須教育，因它一來從未受過教育，二來陰越重，其愚蒙也越甚，是以啟蒙須越早越好。倒過來，陽到了上九已是發展過甚，變成剛暴，是個嚴師。嚴師不一定不好，因為「嚴師出高徒」。不過九二是陽爻在陰位，本身陽剛的性質，被處身陰柔的環境所柔化，於是剛而濟之以柔，既能嚴肅、堅持，又對學生寬容，這才是個最好的老師。另外，陽也是象徵道德，九二具備光明峻偉的德性和知識，又能剛柔兼濟，處理事務能夠靈活，那自然容易為人所接受。所以九二才是真正的卦主，可說也是主卦之主。「包蒙」是指四個陰爻都在它包容、教導、影響之列。

「納婦吉；」

「納」指婚娶。「婦」，《易經》內凡用到「婦」字，百分之八十都有好的含義；如用「女」字，百分之八十都有不好的含義。婚姻是男女的結合，陽是男，陰是女，現在九二是陽爻，說「納婦」，即四個陰爻都是他婚娶的對象。男女結合象徵甚麼？他們來自不同家庭，有不同的背景、想法、價值觀等，古代女子婚後多要遷就夫家的規矩，如何教導新婦呢？如何適應婚後生活是非常困難的事，九二就是具備了這種才能，使到夫妻能夠融洽相處。「納婦吉」是藉婚娶說出教育方法：即婚姻制度引喻指教育制度；初歸新婦須及早教導，化異為同，使其知道夫家的規矩，以喻教育須及早進行；而誠懇、關懷新婦，逐漸使她同化融合入這個家族，引喻通過教育使學生思想行為從有異同，漸漸變化成材。這爻指九二陽爻納六五為婦，暗喻九二為師，六五為君為學生。九二陽爻在陰位，是陽而得陰柔以濟之；五是君位，六五陰爻在陽位，是柔而得陽剛以濟之。陽是實，陰是虛，六五的君主由於虛心，所以能夠降低自己尊貴的身份接受九二良師的教誨。

「子克家。」

「子」是兒子；「克」是完成，引申有管理之意；「子克家」是兒子全權處理家務。六五在五位是君主，九二在下位是臣子，他們互相感應，關係密切，古代觀念「君臣猶父子」，所以君臣的關係可以類比父子。《蒙卦》以九二為卦主，為甚麼身為大臣，竟然僭越君主，主持教育之政？就是因為在上的君主的委任，正像父親年老把家事交託給兒子主持一樣。

《蒙卦》九二的爻畫包含了三個象：第一個是說教育應有教無類；第二個是說如何改變已有成見的學生，令他接受教導；第三是說好像兒子代替父親主持家務，引申是大臣代替君主實行教育工作。教育是國家施政的重點之一，但君主不可能對國家每一項政策都親自實施，一定要委任於下屬，國家能否安定，就取決於主持教育的臣子的工作是否成功。

《蒙卦》是說教育，但教育背後是說政治，政教合一。所以中國從堯舜時代到今天，都特別重視教育。而且教育側重在人倫方面，《尚書．堯典》已有明文。再者，《禮記．學記》說：「師嚴然後道尊，道尊然後民知敬學。」老師要有尊嚴，老師傳授的道理才備受尊重，然後人民才知道學問的珍貴，爭相來學習。教育須在寬嚴中間斟酌。九二是寬師，上九是嚴師，常規應寬，但對待頑劣學生卻要嚴，才能糾正他。寬嚴並用是最合理的教育方法。

《象》曰：「子克家」，剛柔接也。

《小象傳》解釋說：「子克家」的原因是由於剛爻和柔爻互相交接，這是說九二的剛爻和六五的柔爻陰陽互相感應、互相推動，所以九二得到六五父親的信任，把家事交託給他。

「包蒙」說出了啟蒙的老師須具備寬大的包容、量度；「納婦吉」象徵他和蒙者之間感情思想上的共鳴共應；「子克家」則說出了他的才幹和有為的作風，所以能承擔父親的委任來管理家務。這是一個譬喻，主要說出五是君位、二是臣位，臣子接受了君主的委任，才可執行政令，否則就是僭越。既然這裏有君臣的關係，因此「子克家」的背後象徵意義是說臣子受到君主的委任，將教育事業弘揚於天下，可以推知教育是治理國家的重要措施。

六三，勿用取女，見金夫，不有躬，无攸利。

「六三，」

「六」指它是陰爻，「三」指由下往上數處於第三爻位。

「勿用取女，」

「取」即「娶」，兩字古代相通。「勿用」即不要去做；整句是說千萬不要娶這女子作為妻子。

「見金夫，不有躬，」

這句的主詞就是上述女子；「金夫」指美好的男子，傳統說法是指多金之人，「夫」是男子的通稱，也指丈夫。「躬」是身體，「不有躬」，失去自己身體，即是男女不正當的交合。整句是說這女子見了多金的男子，就甚麼禮法、道德都不顧，而失身於他。

「无攸利。」

「攸」即所，整句說沒有任何利益。

當六三爻發動，便變為陽爻，和卦的九二、六四加上本身六三，二、三、四三爻組成互體《兑卦》，《兑卦》的卦象是少女。古代盛行早婚，結婚多指少男少女的結合，所以現在「女」字是指未婚的少女，有結婚的可能。

「金夫」又指甚麼呢？古今易學家有不少爭議。《乾》是金、是玉，原因是乾為陽，陽代表剛健，古人認為金玉堅硬，是剛健之象。《乾》可以是六畫卦，可以是三畫卦，甚至單一個陽爻也是《乾卦》的縮寫。《蒙卦》上九、九二兩爻都是陽爻，那「金夫」

應指哪一爻呢？首先，三爻和上爻是正應，那「金夫」應指上九這一爻，王弼及唐以前的註解家大都採取此說。但這種正應在易學傳統中不大好，因為傳統的婚姻觀念女子不應首先主動結交男子，應靜以待動。由於三位屬陽，陽代表活動，驅使六三活動。易卦六位在儒家易學中還含有貴賤、善惡、是非等意義，陰爻象徵愚昧、懦弱、不遵守正道，德性有問題，遇上陽位的外在環境的驅使，引誘它妄動。六三是個無知少女，不能堅持，受到環境的引誘而改變了她應嫻靜的性格，盲目地向上動，依附美貌或富有的男子。這個女子顯示出知識和操守都有缺點，會見利忘義，除非婚後家境能保持富裕，不然婚姻就容易出變故，所以不宜以這種女子作為婚姻對象。

但後來的註解家卻認為三爻和上爻是正應，這種結合是天經地義，不結合反而不合理。他們認為「金夫」應指九二這一爻。六三與九二是親比的關係，陰陽兩爻因接近關係，容易生情而結合。六三見到九二是整個卦的主宰，趨炎附勢，忘記了應和適當的配偶結合，所以《小象傳》指斥她「行不順也」。

但亦有註解家提出異議，如清康熙御撰、李光地等所主編的《周易折中》，在按語中指出，九二明明是說「包蒙」和「納婦」，它們都是說包納四個陰爻（即「蒙者」或

「婦」），藉着夫婦間情感相通的象徵說出老師和學生之間思想和感情的溝通，可達成教學最理想的目的，所以三上正應的規律就被卦義取代，因此九二和六三的結合反是好的、合理的。奇怪的是乾隆御撰，而實際是傅恒、汪由敦等編的《周易述義》，號稱沿用其祖舊說而有所發揮，卻仍然採用宋代「金夫」指九二這一爻的解釋。

個人覺得兩種說法都可接受，原因是不正當的婚姻方法是《易經》所不取的。現在是說六三主動追求男子，無論追求的是上九還是九二，都是違背了古代的禮法，而且更是為了追求權勢或財富，動機不正，因此從古代的觀點來說，這種女子不宜娶為妻子。

《象》曰：「勿用取女」，行不順也。

「勿用取女」一句已將整段爻辭之意包括在內，指九二娶妻，不要娶六三這類女子。「行不順也」，順有「正」之意，即所行不合乎正道，指這位女子的行為違背了古代的禮法。把這實際的事件提升為有普遍意義的教育譬喻，就是說老師遇到這類學生，最難教導。學生的資質各各不同，身為老師應如何施教呢？例如六三這類學生把金錢利益看得最重要，會不擇手段去爭取財富、地位。在古代學而優則仕的背景下，這些人越是有知識、有才幹，就越能為自己謀取更多的利益財富，會為國家、人民帶來更大的災害，所以教育這類學生最重要的是改變他們的心性。

六四，困蒙，吝。

「六四，」

「六」指它是陰爻，「四」指由下往上數處於第四爻位。

「困蒙，吝。」

「困」的文字原義是樹木四面被一個框包圍着，就好像被囚禁在某個空間內；引申為各式各樣的事物如知識、行動等受到囚禁、蒙蔽。「蒙」指學生。整句是說學生知識受困。這類學生所受到的「困」可分為兩類：一類是「自困」；另一類是「他困」。「自困」是指本身的聰明才智太低，受天資所困；「他困」是指受外界事物環境所困，例如居於窮鄉僻壤，鄉民多是文盲，想提升自己的知識甚至德行，並非易事。所以在中國山區的居民，知識較低，這是說實際的環境，或因處身的社群，例如沒機會，或不去親近有道德、知識的人，那就等同自我封閉，接受不到知識。或因缺乏書籍等工具，例如有時一篇論文是否出色視乎它有沒有新材料；又或者今天，可運用電腦上網找尋各種資料，所以是否有這類工具可能也會決定人的愚智。

「吝」是可羞恥的事，在這裏指人的愚昧無知。

《象》曰：「困蒙之吝」，獨遠實也。

《小象傳》解釋說：六四爻辭之所以得到「吝」的判斷辭是因為這爻遠離「實」。陽代表生長、擴展、充實，陰代表收斂、空虛，因此陽的性質是由少而增加，陰的性質是由多收斂至無；如將陰陽以「虛實」來形容，陽就是「實」，陰就是「虛」。這裏是說六四在卦中各爻只有它單獨遠離陽，卦中的兩陽爻象徵啟蒙的老師，六四沒有得到老師的教誨，所以為蒙昧所困，不能脱出蒙昧。陽代表聰明、有道德；陰代表愚昧、品德差。六四是陰爻，本身愚笨、天資特差，是「自困」；所處的環境是陰位，象徵「他困」，所以既「自困」又「他困」。在「困」的環境下，假使一個人尚有廣義的知識工具可運用，那就可得到許多有用的知識，便不至受「困」了。那六四是否如此？六四與初爻相應，但初爻也是陰爻，大家同是愚笨無知，兼是敵應，不能互相交流知識；那鄰近上下有沒有益友呢？可惜六三和六五鄰近上下兩爻亦是陰爻。所以無論講「應」或「比」，都是「他困」的局面，沒有良師益友，也沒有學習的工具，和兩陽非比無應，這就是「獨遠實也」。而它本身因為是陰爻，性格上也是自暴自棄，這類學生很難教導。但《易經》教導做人要懷抱希望，在惡劣環境中應與命運抗爭。這段爻辭有個關鍵字，就是「吝」。「吝」代表有羞恥之心，這是儒家教育所最重視的。儒家不認為人有過失是大問題，只要承認就好了；進一步糾正了過失，那就是賢人君子了。要了解自己有過失、承認過失，須具備羞恥之心。是非之心和羞恥之心是連繫在一起的。當一個人只知有己，不知有人；只知自己對，其他人都錯的時候，他就是個沒廉恥、不知反省的人！人之所以為「人」，就是知恥。如他因自己的愚昧無知或行為不當而感到羞恥時，他就會用各種方法去減少自己的無知和行為不當，那他就有救了。

對付六三這類學生要在一開始的時候教導他正確的做人價值觀，不能只重個人利益，不擇手段；對付六四這類學生則要及早教導他明辨是非，要有羞恥之心，那就不會出現如六三或六四爻辭所説的情況。不然，等到六三或六四的情況經已出現，就難以挽救了。所以教育童蒙要及早的道理就在這裏。

六五，童蒙，吉。

「六五，」

「六」指它是陰爻，「五」指由下往上數處於第五爻位。

「童蒙，吉。」

童子在蒙昧無知時，仍保持童眞美好的天性，很容易虛心接受老師的教誨，是最吉祥的。這裏的「童蒙」是指未受後天不良習俗、思想熏染，仍保持着兒童純眞心性，願意虛心接受教誨的兒童，所以是最吉祥的。

《象》曰：「童蒙之吉」，順以巽也。

爻辭所說的吉祥，《小象傳》說原因是「順以巽也」。「以」等同於「而」字；「順」是向上順從正道，這裏指即使是君主之尊，也能降低自己的身份虛心向上學習天道、地道的知識；「巽」，遜順也，亦指《巽卦》的性質「下」、「入」和「伏」，都有順從之義。在《蒙卦》，指在上的君主聽從在下的人的教導，學習人道的知識，而且讓這些教導能進入自己心中。第一個「順」字指能把道理聽入耳，第二個「巽」字指深入心中，變成思想的一部份，且付諸行動。因為能夠服從正道，相信正道，而且身體實行正道，所以是吉祥的。

上九，擊蒙；不利為寇，利禦寇。

「上九，」

「上」指爻位最上，「九」指它是陽爻。

「擊蒙；」

對蒙昧的學生進行打擊。上九和六三正應，六三是「勿用取女」、「見金夫，不有躬」的女子，這類學生，所以受到上九的嚴厲教導。

「不利為寇，」

如是「為寇」，則不利。「寇」是類似戰爭中的侵略者，凡是侵略，對象都是來自外。因此「寇」字帶有貶義，指不合理的行為，亦包含需用暴力之意。「為」是動作。在這裏指有如對待敵人的暴力行動。意指老師嚴厲地教導學生，好像用暴力征服敵人一樣，是不利於教育的。

「利禦寇。」

「禦」是抵禦，自內抗拒外來不合理的行動或思想；防禦敵人外來侵略自己的各種做法則是適宜的。這是個譬喻。須知道每一卦的六爻大都是象徵事情依次從開始逐步發展到最後的六個階段，而到最後階段往往會產生相反性質的結果。《蒙卦》的發展從下而上，隨着時間、位置（空間）的推移改變，「蒙」的程度越來越甚。到了最上的位置，卦中的「蒙」已經發展到極限，對待這類最「蒙」的學生，運用正常的方法教導他，已不能收效，因此要用嚴厲的手段啟蒙，這是第一點。第二點是由於它是陽爻，陽的性質在最初、最低是最弱的，到了最上，則是最強的；陰則相反。由此可知，宇宙間其實只有一種氣，陰陽只是這種氣的不同功能、作用的表現，凡在下者為陰，在上者為陽，當在最下的陰氣到了陰的極限要變時，便會變為陽氣。變為陽氣便會從最低點一直上升，上升的過程便叫陽氣，假使以陽氣在最上為一百，陰氣在最低為一百，陽氣是從陰氣百分之一百逐步減少變成陽氣的過程。在這上升過程中，由最初的百分之一的陽氣到最後百分之百都是陽氣；同理，當陽氣從一百開始減少，在下降變為陰氣的過程中，就是陰氣的逐漸增多。《易經》是預測未來的學問，所以說吉祥時，現在仍然不是吉祥，未來才是吉祥；同理，說陰，現在尚不是陰，未來才是陰。陽到了上九，已發展到最剛強、最霸道的程度，變得剛愎自用，所以有侵略、暴力的行動。九二用寬，上九用嚴，《易經》作者說出如用太暴力的手段進行教育事業，是不利的，你把學生當作敵人，學生也會把你當作敵人，大家互相鬥爭，沒有妥協餘地，那就不是教育學生，而是戕害學生，那學生會更走向極端，所以過嚴不利於教學。但嚴則利於禦寇，「寇」可引申為思想的敵人，譬喻外界的「異端邪說」，影響了你的思想言行。愚蒙的學生最易受到外界「異端邪說」的影響，他們的愚蒙就是由於「異端邪說」所致，所以要用強力手段去截除「異端邪說」，不讓他們繼續受到影響而變本加厲，另一方面讓他們聆聽正確的道理，這就是對少數「極蒙」的學生的教學方法。

《象》曰：「利用禦寇」，上下順也。

利用各種教學方法去防禦「異端邪說」，免得它們影響人的正確判斷，對於在上的教師來說是合乎教學之道，而對於在下的學生來說，他們也會順從這些合理教學方法而去改變自己的。

總結

《周易古經》通行本六十四卦的排列卦序，始於《乾》《坤》兩卦，《乾卦》講的是天道，《坤卦》講的是地道。跟着的是《屯卦》和《蒙卦》，《屯卦》說明推選領袖，團結人群，共同對抗外來的天災人禍，建立國家，是人類幸福生存的開始，講的是為君之道，說出「君道」是人道的基礎。君道建立之後，接着是《蒙卦》，《蒙卦》在六十四卦中主要是講論教育的一個卦，認為這是繼「君道」建立之後最急需的，提出老師如何教導學生，這便是「師道」。戰國末荀子承《易經》卦序排列的哲理，再加上儒家重視的孝道，在《荀子．禮論》中說：「天地者，生之本也；先祖者，類之本也；君師者，治之本也。」認為天地、先祖和君師是儒家所重視的三本。這不特影響了二千多年來政治與教育互補，和中國傳統文化特重教育，還使所有的人都尊「天、地、君、親、師」。

《周易古經》中的《蒙卦》原意是甚麼可能尚有爭論，但以後發展的儒家易學都認為這卦說的是教育，通過求神問卜的心態譬喻教學的重要原則，就是「匪我求童蒙，童蒙求我」。它特別強調了人類求教於神靈，那是因為對未來感到茫然、困惑；它尤其講出不是老師去求童蒙，而是童蒙來求老師。在教和學的關係中，須是蒙者先發動，他先須明白人生處處都會有險阻，無知就會陷入險阻之中；另外世事多變，使人不知道如何做人才適當，這些都須請教於有道者。當人類有了內在的求知慾望，再加上求解疑惑的外在努力，教育事業才可以開始並妥善完成。因此教育的關鍵是如何令受教者自動自發產生求知之心，並且肯虛心去請教別人，只有在這種情況下的教授與學習，雙方才能達到理想的目的。其中有兩點是最重要的：易學認為宇宙萬事萬物自出生後都會順着其個別內在的規律生長、發展，直到完成為止。植物、動物是如此，人也不會例外。《蒙卦》說山被草木蒙蓋着，就如事物外面被蒙蔽，如能去除干擾它生長的事物，那它就能順利地跟隨生長規律發展。從這裏來看，《蒙卦》隱寓任何人都擁有認知萬物、從事合理行動的能力，如有欠缺，就是由於「蒙」；啟除了「蒙」，就能自動按照人的合理生長規律發展。這種說法跟儒家思想、尤其是孟子的「性善說」有相通的地方。

另外，《蒙卦》說到山水流動的過程，流動不息是水的本性，猶如萬物（包括人）的發展本性，但水或形成江河、或形成小沼澤，則和後天的環境和行動有關，如果行動時受到適當的引導，就能順利發展成為長江大河；如得不到適當的引導，就會變成臭水潭。因此要發展天性，需要後天教育的輔助。這點孔子說得最清楚，他最讚揚人的好學。人只有自己追求學問和道德修養、善於發展本性，才會變成有用的人才、學者、君子、賢人、聖人。孔子說：「十室之邑，必有忠信如丘者；不如丘之好學也。」（《論語．公冶長》，一個只有十戶人家的小邑，人數雖然很少，但一定有如我天性本質具備忠和信的人；但沒有人像我那般好學）可見孔子認為「好學」是他較別人優勝的地方。另外，《論語．陽貨》記載了他向子路解釋何謂「六言六蔽」：他說人雖天生具備美德，如仁、智、信、直、勇、剛，但如「好仁不好學」，則「其蔽也愚」；一個人如不具備知識去實行仁德，就會如今天很多慈父慈母一樣只知縱容兒女，結果兒女很少成材；「好知不好學，其蔽也蕩」，只喜歡知識、不懂得以學問制約知識，知識就會漫無所歸，等等。孔子說出了六種天生的美德如不懂得用學問來提升或節制，就會造成六種最大的缺點。這就是《蒙卦》意義進一步的發揮，它說人有美好的天性，再予以啟蒙，引導發展它，使它更完善，就是從事教育工作者應有的責任和努力之所在。

廣義的教育分為國家施行的法律和對國民進行的教育，國家以合理的法律規範人的行為，抑制人的不合理想法和行為，令他回歸正途，用的是消極的刑罰；積極的方法則是獎勵，凡對國家社會有貢獻的人，都加以鼓勵、表揚、獎賞。所以在中國古代，如兒子考取了功名，即使是初級的秀才，政府便免其父母一生差役；如是舉人，對其父母便有所封贈。到了進士級，父母的身份更從平民提升。另外，凡忠臣、孝子、烈士、節婦都會得到國家的旌表等等。這些都有助於風俗的改變，也是對國民的一種間接教育。另外，就是社會對民眾的直接教育，可通過無形淳美的風俗和有形的民間輿論的壓力，令到人人都要依着這方向走。第三是父母的教育，子不教，父之過。父母有責任對子女嚴加管束教導，我們上一代都實行這一套，但這幾十年來已不流行，今天就更是一味縱容下一代！第四是學校的教育，《蒙卦》暗中講教育由國家主持，是「子克家」，但在卦中，這些內容仍是次要的，主要的內容是講教師採用甚麼方法教導學生才合適。

對教和學來說，既要有好學的學生，也要有樂育英材的老師，兩者結合，才叫「志應」，所以強調九二「剛中、志應」。而「志應」要合乎「時中」，「時」是指教和學都有適當的時機，應待時、隨時、及時、趣（趨）時以配合，例如學生既有興趣學習，老師也有興趣教他之「時」，大家互相配合，便是非常重要的一例。「中」是適當的想法和做法，對象、教法、內容都要因材施教。但無論如何，教育的最大關鍵是「利貞」，意思是只適宜用「蒙以養正」的方法去進行教導。因此教育工作是嚴肅的，一定要小心認真地制定政策，因此教育部門應受到國家的高度重視，否則國家對於人材的培育就會出問題；國家如沒有人材接班，那不管它目前如何富強也是不會長久的。

《蒙卦》中兩個陽爻是啟蒙的老師，四個陰爻是蒙昧受教的人。兩個啟蒙者有不同的個性和教學方法，但以九二的教學法為正宗；而以上九那套作為輔助的方法。兩個方法一寬（九二）、一嚴（上九）。「寬」是誘導全民樂意接受教育，是積極去開啟所有學生的知識和道德；「嚴」是消極對那些個別不能通過教育改變本質的人所採取的方法，兼且是藉此抑制所有學生的邪念。一正一反，積極和消極的方法兼用，才能達到教育的目的。所以中國自古以來都不反對嚴師。不過「為寇」那一類不能叫作嚴師；只有為了「禦寇」，才是中國歷代所推許的。所以中國以前贊成對小學生進行體罰，以小小痛苦來糾正不當的行為。

如何教導卦中這四類受教者呢？初六是教育的開始，所以在這爻說出教育的原則，它是雙軌並行的，首先設立學生守則，學生無須明白也要遵守，慢慢他就會明白為甚麼須這樣做。所以初爻提出了「法」。「法」除了法律之外，它的引申意義是主動去效法。通過正人的正確言行潛移默化，令學生產生嚮往和學習正人正事的做法。初六強調了要及早實行這種教育方法，才能收效。過此以往，收效就不大了。它說出了人最初所接受的思想、行為，會成為他以後做人的金科玉律。所以幼年思想行為正確，就可以發展、擴充他原有的淳美天性。到他長大了，本性受到污染、扭曲，就積重難返了。法律的意義可擴展至包括國家的法律、社會的風氣、學校的規律、父母的教導等等，最後才是師長的教導。除了國家法律之外，社會風氣也是間接教育群眾的關鍵，所以端正風俗是不可或缺的輔助方法。另外，小孩子最早接觸的是父母，如父母不盡責任，僅把教育責任交託給老師，自己胡作非為，而希望學校把孩子教得品學兼優，那是沒有可能的，因此父母自己必須樹立良好的榜樣，才能教好孩子。

六三爻是個受到利誘而會改變的學生，這類學生不算太壞，凡是因嚮往名利而努力工作的人，同樣可通過名利使他走入正途，因此六三不是不可教之人，適當的教育可使他從見利忘義變為見利思義。中國古代通過科舉制度，將政權公開，讓所有人民都有參與的機會，這給予求名利之人一條光明坦途，讓他孜孜努力於考試，科舉高中後，就有機會由小官升至一人之下的宰相之職；但在他努力求學的過程中，會從書本和師友身上學到正確的做人道理，改變他不正當或抑制他過份的名利之念。所以中國從漢朝開始，政權是開放給所有身家清白的人的，而且採取公平的方式，以省份人口和繳納的錢糧來訂出入選人數（員額），而且只與本省人競爭。因為假使不是只與本省人參與遴選，那科舉人材只會出於文化薈萃的地區，做官的也只會是那一些地區的士子；其他偏遠省份如雲南、廣東、廣西、貴州等地，則一百年也出不了一個科舉人材。所以從漢朝開始的察舉以至後世的科舉制度，使到全中國的人民都有從政的權利。由於這是個較公平的制度，它就可長久執行，統一人心，國家不會分裂。這種還政於民的制度，就是通過利祿和科舉來維持的。

六四說的是「自困」和「他困」。如全人類能發展到對言行不正當的人作出譴責，令他感到羞恥的話，那人人可為堯舜了。在今天，求取知識改變自己的無知並不困難，最難的是要有自動自發的好學精神，所以第四爻說的是如何啟發學生的羞恥之心，從而激發他努力改過和有上進之心。

六四和六三兩爻說的是教育的特殊例子。第二和第五爻兩爻說的則是教育的正常情況。本來凡陰陽爻得正就能發揮陰陽好的本質，如陰陽爻處於不得正的位置，就會發展陰陽壞的性質。現在第五爻雖然不得正，但在中位，得中比得正更重要，因為得中已同時兼備了得正，得正卻不一定兼備得中；所以第五爻就發揮了陰最好的品質——虛心、虛己，能容納萬物。沒有個人的成見，所以能接受教導；如有了主觀的成見，或在童稚時接受了錯誤的觀念，才是最難教導的學生。熱衷功名利祿的易教導，甚至自困的也易教導，但一早囿於錯誤觀念的學生就不易教導了。第五爻正是虛己，與有主觀成見相反，他就是最理想的學生。這是第一點。第二點，他身在高位，因為虛心而屈己向下求教於九二，因此二者互相感應。為何能夠虛？是因為他未曾受到「異端邪説」的薰陶，保持孩童的天真，能發展出做人的合理思想行為，教師輕易已可把他教好，只須順着他的本性誘導，他就能蓬勃地向前發展，由泉水變成長江大河。後來的儒家很明顯就是以此作為教學原則，例如最重視學生自動自覺去學習，孔子有云：「不憤不啟、不悱不發」（《論語·述而》），如不是對知識有困惑，導致內心的焦慮、渴求解答的，那就不要去啟發他，甚至故意不去教他，讓他自己去想。禪宗就是採用這種方式，「如何是祖師西來意？」上師當頭一棒或大喝一聲，不予答案。於是弟子又去參訪另一位明師，經過十多年的覓求，最終才恍然大悟。這是以不答為答，孔子和孟子都有這樣教導學生的教法。《蒙卦》的卦辭也說：「再三瀆，瀆則不告。」不答他，他最後會自己找出答案。所以孔子承其意，說：「舉一隅，不以三隅反，則不復也。」已提出桌子有一隻角，如想不到桌子還有另外三隻角，就不必重複地告訴他，能觸類旁通的學生我才有興趣教他。這是啟發學生、引導他自行解答疑難的教學方法。《蒙卦》便是說要激發他的求知慾。能掌握「時中」，才能達到教育的理想目的。

《蒙卦》的九二爻是成卦之主，凡與它有感應的就好。它與六五爻相應，因此「童蒙吉」，論教育最成功的就是這一爻；初爻與二爻是比的關係，它的位置在卦中最低，不中不正，本應是卦中最蒙的一爻，但因為與九二親近，能及時受到九二的啟蒙，啟發它先天的聰明才智和品性，可以「蒙以養正」，成為做君子、賢人甚至聖人的基礎。第三爻同樣和九二也是親比的關係，但為甚麼說它見利忘義、孺子不可教呢？原因就是因為它「不順」，即違背了正道。在易學規例中，「應」較「比」更重要，在兩種關係並存之時，選擇「應」才是合乎正道，如選擇了「比」，就是違背了《易》例。六三本與上九是正應，但竟然捨棄了上九，見到九二多金而去親近九二，是不適當的做法。第四爻和卦中兩陽爻全無應比關係，還加上被它上下兩個同類陰爻包圍，所以說它是「困蒙」。這爻說出了教學要多親近良師益友，《荀子·勸學篇》便發揮此義，說：「學莫便乎近其人」，為學多親近賢人君子，就可得益了。

每個卦的初與上爻、二與五爻、三與四爻往往相反相成，暗中有連繫。從更宏觀的角度去體會，可從這些暗中的連繫更明白其間的深入意義。如要進一步深入研究《易經》，就要從此入手。例如《蒙卦》是講利用刑人，除了模仿正人君子的正言正行之外，還有以法律來規範行為的問題。所以到了上爻的時候，就由初爻溫和的法律變成「暴力」的「擊蒙」。教學最初可以溫厚，到了最後，童蒙已變得很差，就不能不用「暴力」手段去對付。二爻是啟蒙的老師，五爻是虛心接受教導的童蒙，兩者之間是呼應的。三和四爻是近乎自暴自棄的學生，但其中又有稍微性質的不同，三爻見到名利而改變為人的態度，四爻則欠缺教育的環境和師友之助，本身又不肯學習；他們同是自暴自棄的人，一是道德上有問題，一是知識上有問題。六爻組成一個教育的「時」，而在「時」中，有位置不同的變化，以「位」反映出「時」，所以從初爻一直向上發展，是象徵那件事從開始到結束的過程。掌握了這線索就可明白。尤其通過《乾卦》就更明顯，從初爻「潛龍勿用」一直到九五「飛龍在天」發展到最盛。盛極必衰，到上九就走到相反面的「亢龍有悔」去。撇開《蒙卦》不論，六爻之中，初爻往往象徵事情的最初開始，一般發展到五爻，就到達最成功、最圓滿的階段，如是一直都是向好發展的，到了第六爻，陽極生陰，好極變壞，象徵事情的結束。結束有兩個可能性，一是好極變壞，一是能夠保持；如它不是發展到極限，上爻是尚可以保持原來的好壞的；如五爻已是發展到極限，上爻一定會由好變壞或由壞變好。這就是初、上兩爻的關係。另外，從六十四卦的統計來說，二爻多譽，但實權則少一些；三爻多凶；四爻多疑多懼；五爻多功，即容易成功、有名有位，這都是「位」的刻板含義，但《易經》的意義不是一成不變的，是「隨時變易以從道」（北宋易學大師程頤語）。「道」即是中，隨時都要秉持中道以應付宇宙萬事萬物的變動，那才是真正善於學習《易經》！

【第八講】謙卦

䷎（艮下坤上）

《謙》：亨，君子有終。

《彖》曰：「《謙》亨」，天道下濟而光明，地道卑而上行。天道虧盈而益謙，地道變盈而流謙，鬼神害盈而福謙，人道惡盈而好謙。謙尊而光，卑而不可踰，「君子之終也」。

《象》曰：地中有山，《謙》；君子以裒多益寡，稱物平施。

初六，謙謙君子，用涉大川，吉。

《象》曰：「謙謙君子」，卑以自牧也。

六二，鳴謙，貞吉。

《象》曰：「鳴謙貞吉」，中心得也。

九三，勞謙，君子有終，吉。

《象》曰：「勞謙君子」，萬民服也。

六四，无不利，撝謙。

《象》曰：「无不利撝謙」，不違則也。

六五，不富，以其鄰，利用侵伐，无不利。

《象》曰：「利用侵伐」，征不服也。

上六，鳴謙，利用行師，征邑國。

《象》曰：「鳴謙」，志未得也；「可用行師，征邑國也。」

《謙》：亨，君子有終。

「《謙》：」

《謙》指《謙卦》，謙有謙遜、謙讓、謙虛等意義。

「亨，」

「亨」是亨通，指具備謙德，做任何事情都可亨通順利地發展，得到成功。

「君子有終。」

「君子」在三千年前的《周易古經》時代是指貴族，不是指平民。從孔子開始，才稱有道德、有學問的人為「君子」。「有終」的「終」字，傳統註釋解作最終、最後；但高亨教授則認為原義指有好的結果。我跟很多註解家一樣，不接受高亨教授這說法，「終」只應解作最後、終結。理由是：

「終」字是形聲字，從「冬」字得聲，「終」字的形旁「糸」字本義是蠶的絲蛹，由於蠶絲要完整整條從蠶蛹中抽出來，不能中斷，因此有延續之義。須留意：在古代，形聲字的聲旁亦往往蘊含意義，所以我們也要探討「冬」字的意義。

古代最初只有「年」或「秋」的觀念，指禾稻成熟的時候。北方天氣寒冷，和南方不同，每年只成熟一次，所以「年」和「秋」都是指一年。後來才將一年分為春和秋兩季：春，出也，指禾稻或植物生出的季節；秋指禾稻或植物成熟的季節。人類知識進步後，再從春天分出夏天，秋天分出冬天，然後一年才有四季。四季叫「四時」，「時」字之義就出自這裏。所以在古代，編年歷史著作只稱為《春秋》，不稱為《春夏秋冬》。

由此可見，「冬」字的來源並不太古遠。

「春」的字義是出，象徵萬物的出生；「秋」的字義是太陽火力將禾稻曬熟，象徵禾稻成熟的季節，是明顯的會意字；「夏」的字義是大，這也可能是引申義，它的字形本象一個穿着衣冠的人，衣冠象徵文化，夏朝或夏人文化進步，所以用這個字自稱，表示這便是和野蠻人不同之處，這就是「華夏」一詞的來源。華夏就是大，蠻夷就是小，由此引申為萬物長大之義，所以肯定是個後起義。「冬」的字義是冰在下，象徵冬天。「冬」字聲旁加上「糸」字形旁變成「終」字，象徵春夏秋延續到冬天，冬天是一年辛勤於農耕或事務而有收穫的終結，才引申為有好的含義。由此可見，原來的意義只是終結。由原義發展為引申義的過程是很慢的，所以高亨教授那個解釋肯定不是原義。

整段卦辭是說能夠有謙讓、虛己的美德，做任何事情都會順利、暢通。君子實行謙德，由於抑己、屈己，可能最初不亨，但堅持到最後，就會亨通有福，「有終」是「亨」的條件。暗中也就是說最初實行謙德容易，但能堅持到最後，則不容易，古人稱為「靡不有初，鮮克有終」，因此「有終」才難能可貴。

《彖》曰：「《謙》亨」，天道下濟而光明，地道卑而上行。天道虧盈而益謙，地道變盈而流謙，鬼神害盈而福謙，人道惡盈而好謙。謙尊而光，卑而不可踰，「君子之終也」。

「《彖》曰：『《謙》亨』，」

《彖傳》首先發揮卦辭「『謙，亨』」兩字之義。《謙卦》的卦體，上卦是《坤卦》，象徵大地；下卦是《艮卦》，象徵山。山本是高出地面的，但山的根部埋藏在地下，象徵高者甘心下降隱藏在卑低之中，這反映了謙德便是這樣的。另外，陰象徵卑賤，上卦《坤卦》純陰，象徵低層的人民；下卦原本也是《坤卦》，由於《乾卦》的第三爻進入下卦《坤卦》第三爻的位置，才變為本卦下卦的《艮卦》，《艮卦》的一陽爻，就是從《乾卦》的第三爻而來，《乾卦》的九三爻辭說：「君子終日乾乾」，九三陽爻象徵君子，因此本卦的九三陽爻承其義象徵君子；也可代表乾天，在人間可象徵貴族。現在高高在上的貴族心甘情願降低他的身份，隱藏於平民之中，就是謙德的表現。而從卦德來看，艮山象徵止，道德上制止自己，不能有不義的行為。因此中國自古以來，山被視為蘊含崇高的道德，遠古的中國人已崇拜山嶽，認為山與有崇高道德的神靈連繫在一起。古代帝王祭拜四嶽，後來祭拜五嶽，都是出於這種心理。山象徵德，水象徵智，所以孔子說：「仁者樂山，智者樂水」，這就是同聲相應，同氣相求。

《謙卦》是說有德之人降至普通人之下，是謙德的表現；這牽涉到「德」和「位」的問題。「位」可引申到地位、權力等範疇；「德」則涉及道德、才幹、知識。有德而不自伐，有功而不自誇，有才而不恃，有高貴的身份而不自高，都是謙德「以高下下」的象徵。由此可知，沒有成就的人不可以稱為謙讓、謙虛。你需要有才、德、功業，而不以為自己有才、德、功業，才是「謙」德的表現。因此才、德、功業尚不如人的人反而應該努力，用合乎正道的方法提升自己的才、德、功業，當仁不讓。這是「謙」的基本意義。

「天道下濟而光明，」

「天道」，指天的規律，「濟」指幫助或完成，北宋的程頤說「濟」與「際」字相通，「下際」即「下交」。凡交際即是人與人接觸，故「濟」也象徵陰陽事物的接觸。這裏的「濟」字兼有上述三義。純陽爻的六畫別卦是《乾卦》，純陽爻的三畫經卦亦是《乾卦》，甚至任何一陽爻都可說是具備《乾卦》的德性，而《乾卦》可以象徵天；同理六爻純陰固然是《坤卦》，三爻純陰亦是《坤卦》，甚至任何一陰爻都可以說具備《坤卦》的德性，而《坤卦》可象徵地。《謙卦》中九三這一陽爻就可以象徵天，天本高高在上，現在降到下卦九三的位置，這就是「天道」下降到大地（初、二、三爻之前都是陰爻，本是《坤卦》，而坤為地；九下降至三位，取代陰爻成為陽爻，才變成《艮卦》）。古人認為「天道」最重要的是太陽和月亮，《乾卦．彖傳》說：「大明終始，六位時成。」「大明」就是指太陽，而太陽就代表天。這句話是說太陽將陽氣送至大地，光明照耀大地。即太陽不單給予大地光明，還有溫暖的照射，春天才會有萬物的滋生，可見陽氣是促進萬物生長、成熟最重要的關鍵。現在高高在上的天，通過日月向下照臨，產生了光明；雷霆下擊，造成風雨，滋潤大地，都是「天道下濟」。它謙抑地降低自己的地位，反而更顯出其光明高貴。「下際」是它的謙遜，「光明」是它的亨通。這裏說下交萬物以扶掖萬物的生長，是天的謙德的表現。

「地道卑而上行。」

「地道」是指地的規律，包括了大地的一切事物；「卑」是低下，大地低卑在下，但它產生的地氣卻上升至天，與天上的陽氣結合，協助天，完成天產生萬物的目的。這也是從九三一爻之義發揮的：當九三這一爻向前發展，就由陽變為陰（六三），初二三三爻變為象徵地道的《坤卦》，《坤卦》的主旨，《坤．文言傳》說是「承天而時行」，而《坤卦．象傳》則說是：「至哉坤元，萬物資生，乃順承天」。至於六三這一爻，《坤卦．六三爻辭》說：「含章可貞；或從王事，无成有終」。這是說六三這一爻，輔助君主，完成君主未完成的事業，但功勞不歸於自己而歸於君主，自己始終謹守臣子的職份。《謙卦》的九三向前發展，會變為六三，便繼承《坤卦》六三之義，效法大地之謙，願意處身在卑下位置，低下到了極點，就會自動產生地氣上升至天，協助乾天，完成乾天未完成的工作。大地自願處於低下是謙卑，地氣「上行」是地氣的亨通。這裏發揮以輔助上天完成萬物的生長成熟而不居功是大地謙德的表現。從而將卦辭所說人類能夠「謙」則「亨」通的謙遜美德提升至哲學的高層次，從宇宙觀的角度去說明人道的「謙德」仿效天道、地道。所以《彖傳》這兩句解釋卦名為《謙》，是聖人觀察了天道謙而下行，得到亨通；「地道」處身卑下，得到亨通。因此得出人道也要謙，而且要像天地之道一樣悠久、永恆無息地持續實行謙德，才是善於效法天地之道的。

以上六句說明為甚麼要謙虛的道理。

「天道虧盈而益謙，」

「虧」是虧損，「盈」是盈滿，兩字都作動詞用。天的規律，事物盈滿了，就會令它虧損；對於謙損的事物，則增益它。如以日月作為譬喻，太陽早上從東方昇起時看起來最小，上昇過程慢慢增大，到了中天到達「盈滿」，下午太陽西斜下降是由盈滿逐漸減少。所以古人覺得太陽的升降是個「盈虛消息」的過程。月亮就更明顯了。農曆的十四、十五、十六夜，月亮是最盈滿的；到了農曆的廿八、廿九、三十、初一、初二夜，月亮是黯淡無光的。盈滿的虧損它，謙損的增益它，這就是「天道虧盈而益謙」。老子說得更詳盡：「天之道，其猶張弓與！高者抑之，下者舉之，有餘者損之，不足者補之。天之道，損有餘而補不足。」（《老子．第七十七章》）我們亦可用現代的說法：宇宙之中，能量高的就會流向能量低的，流水會從高處流向低處，溫暖及寒冷空氣必定互相對流，這些都可說是天道「虧盈益謙」的表現。

「地道變盈而流謙，」

「變」是改變。凡是改變，都會變更原來的面貌、甚至性質，所以「變」有破壞的含義。大地的規律改變盈滿的事物，例如高山會慢慢坍塌；低窪的地方也會慢慢被泥土或流水填滿，於是低的地方會變高，高的地方會變低。「流」是廣泛分佈，就像水流向低處，低窪之處就會被泥土填滿，變為平地，所以「流」有增加的含義。可見地道對盈滿會加以減損，對謙虛會加以增益。

以上兩句是從高層次說天地自然之道是謙虛的，因此人類實行謙德是理所當然的。

「鬼神害盈而福謙，」

從遠古人類的觀點來說，「鬼神」是宗教迷信中的鬼神，孔子雖然說有鬼神，但「敬鬼神而遠之」，可見實際並不真正相信鬼神。《十翼》中的《繫辭上傳．第四章》更進一步說：「精氣為物，遊魂為變，是故知鬼神之情狀。」（精氣凝聚自然成為靈物，就是神。氣魂遊散，離開人體，變而為鬼。明白這道理，所以就知道鬼神的情狀了。）它認為「鬼神」其實就是陰陽兩氣不同層次的變化，宇宙萬事萬物的構成都是陰陽兩氣不同層次、不同比例混合的結果，低層次的陰陽兩氣結合，成為沒有感情的礦物、泥土石塊等物，略高層次的陰陽兩氣結合，成為略有知覺的植物，高層次的變成動物，再高層次的變成聰明智慧的人類，較人類更高層次的就是神，較人類略低層次的就是鬼，它們都是陰陽兩氣的結合或分散的結果，是造化的功能，只不過我們不明白，覺得神秘，就稱為「鬼神」而已，猶如一百多年前的非洲土人見到飛機在天空飛翔，也會以為那是神而膜拜一番。所以北宋程頤《易程傳》解釋這幾句就説是「鬼神謂造化之跡」（《易程傳》，或稱《伊川易傳》、《程氏易傳》），所以從高層次解釋這句是説整個陰陽兩氣的造化過程都是減損（「害」）盈滿，以使空虛的得到實益（「福」）。低層次則是説鬼神危害盈滿，賜福給謙虛、謙遜的人。

「人道惡盈而好謙。」

人類社會（「人道」）喜歡謙遜的人（「好謙」），討厭自高自大自滿的人（「惡盈」），這就是人道的觀點。這一觀點，古代是這樣，今天仍未改變，凡自我表揚其才、德、地位的，縱使實情是這樣，聽到的人也不信不服；假使誇大其辭的，事後往往成為指斥的對象。謙虛的人，別人對他便少敵意，甚至願意與他親近。自誇的人，別人事後發覺他所說不盡不實，將來他即使如實說也會以為虛誕而不再信他，會低估他的才、德；謙虛的人，別人事後發現他所說的總是謙抑，便會相信他，甚至會高估他的才、德。因此誇耀自己才、德的，短期會得到好處，長遠則會損失多過得益；謙虛的，短期受損，長遠則受益無窮。近世歐美文化着重表現自己，受到傳統重謙文化影響的中國人短暫很吃虧，這是中西文化思想價值觀不同所致，但文化影響國家的興衰，所以近世歐西的國家其興也暫，其敗也速。一四九二年航海運動之後，五百年間西班牙、葡萄牙、荷蘭、英國、法國、德國相繼強盛，未幾即一蹶不振；中國歷經風雨，累敗累興，地球上的古國，多成歷史，惟有中國巋然獨存，歷史可證驗中國文化確有優勝於歐西文化的地方！從此引申、推廣，便可以知道謙虛和自我表現的得失了。

以上兩句是從低層次說明鬼、神、人都會「害盈而福謙」，因此人類不得不實踐謙德。《彖傳》這四句分別從天道、地道、鬼神之道、人道，說明整個宇宙的一切規律都是說謙虛有福、盈滿則有禍，所以「一謙」便有天、地、鬼神、人的「四益」。另外亦暗喻謙遜則亨通之理。

「謙尊而光，」

能夠「謙」，不是卑下，反而是「尊」貴而在上，享有光輝。「光」指光明，是對人類有益的事物。謙遜的人雖然自行抑制自己，謙退在下，但反而受到人的尊敬，他的光輝能普及萬物。

「卑而不可踰，」

「卑」是卑賤；「踰」是超越。謙遜的人即使地位卑下，因為能夠實行謙遜的美德，別人也不能超越他（不能因他地位卑賤而小看他）。

這兩句是說明實行謙德能得到相反的好處，鼓勵人努力實行謙德。

「『君子之終也』。」

「君子」是儒家所講的君子，指的是有道德、有學問的人，後世任何學《易》或受到易學思想感召的人，都可稱為學易的君子。「之終」，這是君子應徹始徹終要實踐的美德。卦辭何以說「有終」？從象數來說，上卦是《坤卦》，乾生物，坤成物，所以坤是完成乾所付託，完成了萬物的生長發育，所以有終結完成之義。《坤卦》用六，《象辭》說：「以大終也」，便是據此而言。而下卦《艮卦》卦德為止，是指陽爻從初九升至九三，到達三畫卦最高極限，所以不得不止，止也有終之義，《說卦傳》說：「《艮》東北之卦也，萬物之所成終而所成始也」，便是依此理立說的。正是由於《謙卦》的上卦《坤卦》和下卦《艮卦》兩卦都有終義，所以卦辭據此作「君子有終」。

以上是《彖傳》對卦辭「亨，君子有終」的解釋和發揮。它從天道、地道、鬼神之道三道的規律來說明人道亦應如此。

《象》曰：地中有山，《謙》；君子以裒多益寡，稱物平施。

「《象》曰：地中有山，《謙》；」

《大象傳》解釋，說：《謙卦》的卦象，上卦《坤卦》為地，下卦《艮卦》為山，結合在一起，便是地中有山。不用「下」字而用「中」字，這個「中」字用得非常好，說出了高山被大地所含藏。山象徵高貴，包括了身份、德與才。現在說高貴、才德含藏於卑賤之中，外面則表現了謙恭。《艮卦》的上爻是陽爻，在這裏代表《乾》陽，而《乾卦》是陽剛有為的領袖。《艮》在下是內卦，象徵他內具高貴的身份才德；《坤》為順，在上為外卦，象徵他外表恭順、謙虛，這就是《謙卦》的象徵。

「君子以裒多益寡，稱物平施。」

「君子以裒多益寡」，「裒」是取的意思；「裒多」是從過多處取走過多的部份；「益」是增加，「寡」是少。整句是說君子體會到這個卦象地中有山的道理，明白個人實踐謙德是要把高貴藏在謙卑裏面，因此就將自己過多的取走（減損，不自以為有，不自高）一些；對於別人的德、才、地位不足的，就以善道鼓勵、教導他，使他在德、才、位中有所增加。因此修養謙德就是要降低自己、抬高別人，那才叫「虛己、謙遜」。《艮卦》在這卦中隱寓乾天之義，所以《彖傳》特別指出「天道虧盈而益謙」，《大象傳》則提出「裒多益寡」，而老子亦提出「損有餘而補不足」的教訓。個人修德，固然應以此為法，對外施政也應遵行「減損有餘而添補不足」的原則。意指在社會發展到繁榮富庶的時候，貧富兩極端就會慢慢出現，發展到某個程度，人就會產生不平、不滿之心，進一步甚至可能會有動亂，因此身為施政者，就要經常考慮去平衡這兩個極端，不要讓這兩個極端走到極限，所以要抑制高貴（今天則是富有）的這一端，扶助卑賤（今天則是貧窮）的另一端。今天人人都應體會《謙卦．大象傳》的教訓，但不要以文害意，不要提倡絕對平等，因為這樣對天份高或辛勤努力的人反而不公平了。《大象傳》的對象包括了所有人，是人生寶訓，也是政治格言，整部《大象傳》就有六十四條人生或政治格言。如當《易經》是本管理學的書，可細心體味《大象傳》這些道理。

「稱物平施」，「稱」是細心地衡量。我們對任何事物都要仔細量度它的貴賤得失。「物」指萬物，包括人類在內；「平」是公平；「施」是施予，要根據這裏所說的公平道理施予。這是發揮卦中的上卦《坤卦》為地之義，對待生殖於大地中的萬物，根據萬物自己的作為，公正無私地施予照拂，使其各遂其生。引申對人尤其是施行政教，應以「稱物平施」為法。

「裒多益寡」是對內自我養謙的方法。而「稱物平施」則是對外根據謙德施於別人的方法，主要是說如何處理宇宙或人間不公平的事物，令它們達到公平。這種公平不是「平均主義」，而是合理地斟酌兩端，取得平衡的原則和方法。

初六，謙謙君子，用涉大川，吉。

《周易古經》讀如：「謙謙，君子用涉大川，吉。」《十翼》則讀如：「謙謙君子，用涉大川，吉。」句讀不同，文義亦因此略有不同。

「初六，」

「初」指爻位最下，「六」指它是陰爻。

「謙謙君子，」

《謙卦》的卦義是「謙」。簡單地說，《謙卦》是說明謙德的一個卦，從養「謙」乃至最後謙極的義蘊。「初」在卦的最低下位置，低下便隱含謙意。因此在分析卦爻的時候，應從位置的高低去了解它的意義，但更要從卦爻的陰陽性質去分析。陰柔主收斂、虛己、順從，引申就有謙和虛之意。正是這個原因，《謙卦》的卦義是謙，在卦中的最低位置是謙，爻的性質是陰柔亦是謙，所以它不單止具備謙，而且是謙而又謙，所以爻辭説是「謙謙」。「謙而又謙」，除了特別強調謙德之外，還説明了實踐謙德不只是一次的謙遜、虛己，而是一次又一次的謙遜、虛己。人人都有謙虛、謙遜的時候，在某一時間之內，驕傲的人和謙遜的人都可以表現出同等的謙虛；但持續長久不變重複的謙虛、謙遜就不是一般人所能做得到的了。現在就是説持續長久謙而又謙的君子。古代的「君子」指貴族，但亦有知識道德較優越的含義在內。後世或《十翼》所稱的「君子」則不限於貴族，任何有才有德的人都可叫做「君子」。本來陽才是君子，初六是陰爻，為何叫它做「君子」呢？原因是現在初爻發動，要發動，便會向相反發展（即老子所説的「反者道之動」），它就由陰走向陽，變陽便成為君子；另外，下卦就會由《艮卦》變成《離卦》。《離卦》代表太陽、光明，是文明之象，從個人來説，是説具備光明峻偉之德，所以有君子之象。

「用涉大川，」

請注意這個「用」字。易學中常用「利」字或「用」字，「利涉大川」的判斷辭便很常見。本來籠統地說，「利」字或「用」字的文義差不多，但如嚴格探討它們的義蘊，兩者是有不同的。「利」有小利和大利之分；「小利」是利自己，「大利」是利國家、社會、人群。內卦與個人的關係較大，所講的「利」，以個人為主；外卦是個人在外面的發展，不單純是個人的事，而是個人和外界的關係，所講的「利」或指個人，但更可能是指群體的利益而言。另外，「利」是說：第一，它在這時有這種才幹、有合適的資格，第二，就是時機適當。有了這兩個因素，於是做事就能順利完成，這就是易學所注重的得「時」。以前已說過時機未到就要「俟時」，時機到了就不要失時，要「及時」、「趨時」。因此研究易學最重要就是要「知時」，知道在最適當的時機去處理事情。「知時」就是「知機」之學。所謂「機」是事情尚未發生到剛剛開始發生的那一刻，表面上或常識上那件事其實還未發生，研究易學的人就是要具備易學教導他的觀察力，體察到那剛發動、微不可覺的時機，及時、趨時去辦理事務，這就是「知幾其神乎！」掌握「時」最重要的就是學習「知機」。

「用」則可能沒有這個時機，甚至可能沒有足夠的才幹，但只要遵從這個爻所指示的去做，也會做得到。在這裏是說用「謙謙」的德性，可以「涉大川」。為何說「涉大川」呢？二、三、四爻組成互體下卦的《坎卦》，《坎卦》是河川的象徵，卦德為險。「涉大川」是象徵進行艱難困苦甚至危險的事。本來凡用「涉」字，指用腳在水中行走，但引申用船涉水甚至在陸地上行走都可以。上面說過當初爻發動，陰爻就會變為陽爻，變為陽爻，下卦就由《艮卦》變為《離卦》。《離卦》除了文明之象，也象徵虛舟。卦象因此是坐着《離卦》的船，渡過《坎卦》的大川，這就是卦象和文字的相關意義。

二、三、四爻組成互體《坎卦》

「吉。」

吉祥、順利。「吉」與「利」哪個較好，是很難說的。從個人來說，「吉」較「利」好；從人群的觀點來說，「利」較「吉」好；但如是「利」，要有「吉」作為背景才可言「利」。不過凶有時也會是利，例如身否道亨，或者後世為國捐軀的大將，身死是「凶」，但流芳千古，則是「大吉」了。但這是例外。

《象》曰：「謙謙君子」，卑以自牧也。

《小象傳》解釋說：有才有德的君子降低自己的身份（「卑」），憑藉（「以」）謙虛的德性「自牧」。「牧」字根據王弼《周易註》解作養，已是個很好的解釋；但清代漢學家喜歡採用文字古義，俞樾在《群經平議》上認為應解作「治」，「治」是治理，凡是治，引申就有克制之義；自治就是自我克制。高亨在《周易大傳今注》上則認為可解作「守」，「守」是防守、守持，守着謙德，不被外間的「異端邪說」改變自己的謙虛操守。因此「守」有長期守持謙德之意。其實上述的幾種解釋都通，綜合其義更佳。由此可知，謙德不是那麼容易做得到的，要嚴謹、認真、持久地克制自己驕傲盈滿的心態，才可達成。「治」和「守」這兩個解釋都有自我克制、努力堅持之意在內。「養」則是撫養，有慢慢令它長大之意。在這裏就是說慢慢增加它的謙德，這是個長期、持續、緩慢、慘淡經營、不易覺察直至最後才完成的過程，這才是「君子有終」的「終」。可見其實並不需要考究文字的古義，從哲學上來說，王弼的註解非常合理，得到歷代註解家的採用是有道理的，因為這樣才能持守謙德，但還須培養使它慢慢增加，這兩層意義只用了一個「養」字就能同時表達出來了。「守」和「治」都略有壓迫自己去做之意，但增長之意則不足。有這情況，便不一定是出自真心。因為要發自內心，自然地表現出的謙虛，才真正培養出謙虛、謙遜的德性，這就是「養」義優勝於「守」、「治」兩義之處。「卑以自牧也」，降低自己的身份，通過謙虛來培養、增長自己的德性。

六二，鳴謙，貞吉。

「六二，」

「六」指它是陰爻，「二」指由下往上數處身第二爻位。

「鳴謙，」

「鳴」的原義是鳥的叫聲；「謙」是謙虛。鳥如在高處鳴叫，聲音一定傳得很遠，現今流行的解釋是說六二實踐謙遜之德，人人皆知，謙遜的名聲傳到各處。傳統的解釋則是說六二佩服九三的勞謙，誠心實意地加以讚揚，並響應九三，自我實踐謙德。這一說法義蘊更深，應繼續沿用。

「貞吉。」

根據傳統解作：堅守正道則吉祥。

《象》曰：「鳴謙貞吉」，中心得也。

《小象傳》解釋「鳴謙貞吉」為「中心得也」，即是得於心中。「得」與「吉」在古音中是疊韻，可相通的，所以「得」亦有吉祥的含義。整句之意是謙遜源自內心的表現，是吉祥的。

為甚麼第二爻的文字這樣說？它位於下卦之中，前文已說過得中最好，二是陰位，故此也是得正。六個爻位之中，以柔爻在二位為最好。《坤卦》六二爻辭說：「直，方，大，不習无不利。」這是說六二具備了「直方大」三種偉大的德性，無須學習，順着本來具備的天性自然就可發展出來，所以是《坤卦》非常好的一爻。六十二卦的陰陽爻都與《乾卦》和《坤卦》同一爻位的陰陽爻性質相關，如性質有改變，那是受到「卦時」的影響。本卦是說謙德，如從《坤卦》第二爻的性質體會如何配合謙德，就可以更深入了解這一爻在《謙卦》背後最關鍵的性質，以及受到時勢環境的影響而展現出它的另一種性質。

六二既中且正。當它發動的時候，下卦《艮卦》就變成《巽卦》。《巽卦》的類象為鳥類中的雞，雞善啼叫，這是「鳴」字的來源。另外，三、四、五三爻組成互體《震卦》，《震》為雷，雷聲「震驚百里」（《震卦》卦辭），因此《震卦》與聲音有關。第二爻與第三爻是親比的關係；但三爻是剛爻，所以二爻是以柔承剛，而承剛在易卦中一般都是好的。陰是卑賤的，陽是尊貴的，假使卑賤的人在尊貴的人之上，則與社會常規牴觸；倒過來，尊貴的人在卑賤的人之上，則是社會的常規。這是古代遵從的倫理與政治一般想法，跟今天的想法當然有所不同。互體上卦為《震卦》，六二上承九三、親比九三，自然受到九三影響，有感就必有應。既然九三是《震》雷發聲，六二因而應聲。這也是爻辭「鳴」字的來源。

六二爻發動，下卦《艮卦》變成《巽卦》，整個卦變成《升卦》

《謙卦》三、四、五三爻組成互體《震卦》

為甚麼説是「鳴謙」呢？在整個卦裏面，只有九三這一爻是陽爻。《周易古經》共有六個一陽五陰爻的卦（一陰五陽爻的卦同樣也是六個）。眾以寡為尊，多以少為貴，因此這六個一陽五陰的卦，無論陽爻在甚麼位置，都是卦主，是成卦之主。同理，一陰五陽的卦中之陰爻本是最卑賤的，但反而是五個陽爻的主宰。一陰為卦主好不好呢？首先，陰的唯一缺點是陰暗。凡一陰的卦，如能令它趨向光明，這一陰也會成為偉大的領袖，例如在《謙卦》之前的《大有卦》（通行本《大有卦》排列十四，《謙卦》排列十五），一陰在五位，處於上卦之中，陰爻在陽位，有了陽爻的性質，改變了它陰的性質，使它光明。再加上它的上卦為《離卦》，《離卦》是太陽，所以是至明。因此《大有卦》是任何事物都發展到最好的狀態，君主虛心之極，能接納五個陽爻（象徵上下的賢臣）的建議和協助，可說是主明臣賢，民眾信服，達到太平的盛世，所以《大有卦》

是說大大地擁有一切，是易卦中少有的國家社會臻達政治最修明、人民最安樂的時代；但《易》理告訴我們甚麼事情都會變，好的會變壞，壞的會變好，這樣好的時代如何能夠維持長久呢？只有用「謙」。所以《大有卦》之後，繼以《謙卦》才可以保持它不向壞轉變。《大有卦》第五爻並不得正，但得中便兼備得正。又如《大有卦》之前的《同人卦》（通行本第十三卦），是說天下大同的一個卦，藉文化文明達致大同，唯一的陰爻是二爻，它得中得正，光明燭照的太陽消滅了黑暗，達到至明的大同世界。

一陽五陰的卦如何達到中道而不過剛呢？簡單來說，陽爻在中位已是得中，得到陽剛最美好的德性而又不會過剛，例如《師》、《比》兩卦便都屬於好的卦；但《謙卦》的陽爻不在中位，所以要它持續好而不變壞，陽剛就要降低，虛己採用他人的建議，這是自古到今的成功之道。因此凡說到《謙卦》，便要降低陽剛的尊貴，使它回復中道。

九三既是卦主，其他的爻都要聽從它，凡與它親比（接近）和相應的爻都是好的，凡與它非比非應（疏遠）的爻就是不好的。因此二爻一定要親近三爻，才算是歸附卦主、服從卦主，是發展卦義的關鍵所在，所以六二以「鳴謙」回應卦主的謙德，「鳴謙」的來源就是在這裏。

至於「貞吉」，由於它是既中且正。凡是得正，象徵那人的才德守正；凡是得中，不單止具備正的美德，甚至象徵他做事的思想行動都是最適當的。六二能達到最高的「正」，判斷辭自然就是吉祥的。

為甚麼説它「中心得」呢？原因是謙虛、謙遜有短暫的謙虛或一生持久的謙虛；有真正的謙虛或虛偽的謙虛。很多人為了更大的目的，故意偽裝禮賢下士的樣子，歷史上的王莽就是個最好的例子，他謙恭的聲名天下皆聞，結果他利用了外戚的身份，謀朝篡位，建立新朝。當他登上王位之後，驕橫的本性便暴露出來了。他以謙虛得國，以驕橫失國，死的時候，人民要把他的舌頭割下來，因為他以舌頭騙盡天下人，贏取得虛假的謙遜的名聲。《坤卦》的六二説「直，方，大，不習无不利」，這是天性本有的，因此謙卦的六二，秉承此德性，根本沒想到謙虛對自己有甚麼好處，只是本性覺得應該這樣，舉手投足之間，自然流露謙虛的氣質，所以是「中心得」，這爻説出了謙德應該是這樣的。本來《易經》凡出現「貞吉」，多是説「吉」是有條件的，先要具備貞正之德，才會得吉；在這裏它本身具備貞正之德，所以不需再論條件，便已得吉。但亦在這裏藉機提醒六二，須永遠保持貞正之德。

九三，勞謙，君子有終，吉。

「九三，」

「九」指它是陽爻，「三」指由下往上數處身第三爻位。

「勞謙，」

「勞」字有兩義，一是勤勞，一是功勞；在這裏主要指勤勞，次要指建立功業。「謙」是謙遜、虛己。能夠謙虛經已很難，勤勞有功勳，仍然保持謙虛，當然更難能可貴了。

「君子有終，吉。」

「有終」即能夠保持謙德到最後，所以是吉祥的。

《象》曰：「勞謙君子」，萬民服也。

《小象傳》把爻辭「勞謙，君子有終，吉」濃縮為「勞謙君子」，解說他因此得到所有人民的信服。首先，君子之「勞」是來自卦象。互體中，二、三、四爻組成《坎卦》，坎為水，水流日夜不停息，大地上還有甚麼比水更勞碌？因此《坎卦》是勞卦。九三位於互體《坎卦》的中爻，這一爻是象徵《坎卦》水流不息的主爻，所以《坎卦》中最勞碌的就是它，所以說「勞」。上文說過，「謙」是高山或在上的陽爻謙抑降到下面，所以是「謙」。至於「君子」，是因為陽為君子，陰為小人，這是浮泛的解釋；真正意義來自《乾卦》九三的爻辭：「君子終日乾乾，夕惕若，厲无咎。」可見《乾卦》的九三象徵君子。換言之，在其他卦中的九三，可能都會有君子的性質。這就是本爻爻辭「君子」二字的來源。《乾卦》九三的君子是「乾乾」，健而又健，好像天的周行無息，這就是勞到極點的象徵；而且他日間努力工作，晚上還自我警惕檢討有沒有做錯事，並考慮如何百尺竿頭，更進一步，以改善自我。當九三爻發動，它就變成六三陰爻。凡各卦的六三陰爻都與《坤卦》六三的性質息息相關，《坤卦》六三爻辭說：「含章可貞。」「章」的原義是織布機上有顏色的縱線和橫線交織成錦繡、顯現美麗的花紋圖案（引申義為寫作時將文字巧妙地配合，成為有意義的內容，就叫文章）。《坤卦》六三本身是陰爻，三是陽位，陰陽結合變成最美好的事物，就好像縱橫兩種不同的絲線交織組成美麗的花紋圖案。在人來說，就是具備了陰陽結合最完美的德性，因此說它具備了最貞正的美德。所以《謙卦》這一爻極佳，一方面是「君子終日乾乾，夕惕若，厲」，演變成陰爻，則是《坤卦》六三「含章可貞；或從王事，无成有終」，陰陽的美好德性都在這一爻展現了。

為甚麼是「有終」呢？除了剛剛引用的《坤卦》六三爻辭「无成有終」和它間接相關外，《乾卦》九三是「君子終日乾乾」，古人說的「天」，其實是以「日」象徵天，《乾卦》上下卦都是日，下卦初爻是日出，第二爻是日中，第三爻是日終，下卦結束，然後進入上卦第四爻再次日昇，所以處身第三爻位就是「有終」的「終」字的第一個直接來源。第二個來源是《艮卦》，它是「萬物之所成終而所成始也」，從《說卦傳》所述和後來根據它發展而成的《後天八卦圖》可知，《艮卦》既是萬物生長的終結，又是未來萬物生長的開始，因此《艮卦》有「終」之義。第三，《乾》是生物的開始，《坤》是長育事物的完成，完成即結束，因此《坤卦》是大終、亦即最大的結束。從下卦《艮卦》上升到上卦《坤卦》的大終，它就不能不終。三個原因合起來說明了卦辭和爻辭「有

後天八卦圖

終」二字的來源。另外，《乾卦》由初爻發展到三爻，太陽由初昇到落下，要經過悠長的過程。而《艮卦》之所以「終」，從另一觀點看是《艮卦》初爻和二爻兩陰爻象徵大地，第三爻陽爻為卦主，陽的性質上升，結果帶領大地一起上升，平地因此變成山，當變成大山之後，就由最大的動變成最大的靜止，所以《艮卦》是靜止，靜止即是「終」。造山非是一朝一夕的事，而是長期持續努力的結果。所以同樣要悠長的歲月保持着謙德，才叫「有終」。能夠這樣，那自然就會是吉祥的了。

那為甚麼會有「萬民服」之義呢？其一，下卦的《艮卦》，上爻是陽爻，下面的兩爻是陰爻，下面不動上面動，所以《艮卦》象徵人的手部；另外，九三、六四、六五爻組成互體的《震卦》，卦爻上面的六四、六五兩陰爻不動，下面的九三陽爻動，所以《震卦》象徵人的足部；結合這兩卦，手動腳也動，不單止勞心，還要勞力。其二《艮卦》是山，六二、九三、六四三爻組成互體的《坎卦》是水，《坤卦》類象為車，《震卦》為馬，三爻奉承、服事在上的五爻君主，等如大臣在上輔助君主辦理國家大事，在下盡心盡力惠愛萬民，手足身心勞動之外，身體還坐着馬車奔馳於山水郡國之間，以處理政務，豈不是極勞？這樣自然得到「萬民服」了。

如從古人中選取一個人的行事解說這個卦的精義，大禹應是最合適的。舜把帝位傳給禹，教誨禹說：「汝惟不矜，天下莫與汝爭能；汝惟不伐，天下莫與汝爭功。」（《偽古文尚書·大禹謨》：正因為你不自以為了不起，所以天下沒有人和你爭奪誰更有才能；正因為你不去誇耀你的功勞，所以天下沒有人和你爭奪你的功勞）。「不矜不伐」就是謙虛。當你越是謙虛，別人也就無法不承認你的才能和功績，這是九三爻實際所應有的。其實上面剛說過凡一陽五陰之卦，陽為主宰，五陰都服從一陽。陽為貴族，陰為平民；五陰象徵所有的人民，所以就是「萬民」。陽率領五陰，五陰對一陽心悅誠服，出自內心，所以就是「萬民服」了。

九三又如何自處呢？三、四、五爻組成互體的《震卦》，震為雷，古人最怕行雷，所以《震卦》象徵謹慎恐懼，不能因「萬民服」而驕傲，不然一定有禍。歷史上常有「功高震主者不賞」的事例，當將領大臣的功勞大到君主沒法獎賞、惟有讓出帝位的話，那就不單得不到獎賞，還會有生命的危險。所以坑殺三十萬趙卒的白起，還沒回到秦國便已被秦王賜死於杜郵。韓信幫助漢高祖取得天下，結局也是被蕭何所殺。因此「功高震主者不賞」這道理，凡任職臣下的人都必須謹記，其實凡有好的建議，也宜巧妙、婉委地提出，不能鋒芒畢露，致遭君上疑忌。《謙卦》下卦為《艮卦》，《艮卦》為止，那就是暗示為人臣者要止於安守本份，應體會山在地中之義，內藏高貴，外顯謙遜，有而不居，才能「君子有終吉」。

如果從陰陽爻發展引申來說，九三發展，便會變為六三，而這卦的六三和《坤卦》的六三有相同的義蘊，《乾卦》講的是為君主之道，《坤卦》講的是為臣子之道，《坤卦》六三爻辭所講的為臣子之道，就是《謙卦》九三這一爻所應盡的為臣子之道，也就是為臣子（在今天，即下屬）實踐謙德所應盡之道，那便是「或從王事，无成有終」，《彖傳》

已藉「地道卑而上行」暗中指出，而我也在那一句中加以引申發揮，請翻閱！能夠這樣，才是處身於這一爻位的最佳方法。表面上，勞自己出，功歸於主上，似乎不合理，但正是因為不爭，反而天下沒有任何人能夠奪取他的功勞，道家的老子也將這道理說明了。

另有一點須要申述的：和謙虛相反的驕傲，往往是由於自滿（自滿於自己的德、才、位），而自滿往往由於自己的器量淺狹，正是由於器量淺狹，理想很低，才會有了小小成就便驕人。但如果器量弘深，理想崇高，在人人眼中認為的成就高超，在他自己心中則認為距離理想還很遠，尚須長期持續的努力，才可以達到理想，那他怎能自滿而不謙虛呢？這才是有德、才、位而自己不以為有的原因，亦因此而須更努力進德修業，因努力於進德修業，於是更能夠擴充成就他的德、才、位，使他日進無疆。假使他的理想如這卦中的九三，便須窮盡一生的努力，死而後已，則一生都在實踐謙德之中，那裏會以其目前的成就驕人呢！學《易》的人，應細心體會這一爻的義蘊，並盡一己之力從事謙德，則今生必有一定的成就，勉之！

「君子有終」四個字已出現於卦辭，為何在這裏重複？其實它暗中告訴我們卦辭這四字指示整個卦的精神義蘊之所在，現在九三重複用了，就是說這爻就是卦的精神義蘊之所在，亦即這爻是卦的主宰。這種重複其實是暗示或強調的寫作方法。了解九三，也就了解整個卦的精神了。

六四，无不利，撝謙。

「六四，」

「六」指它是陰爻，「四」指由下往上數處身第四爻位。

「无不利，撝謙。」

占到這爻的人做任何事情都不會不利。如作一句不分為兩句，那意義就是只限於「撝謙」才「无不利」。如分成兩句，就不單止「撝謙」是利，掌握了謙德，做任何事情都有利。

《象》曰：「无不利撝謙」，不違則也。

情不利。

「《象》曰：『无不利撝謙』，」

《小象傳》解釋時把它當作一句，只強調「撝謙」，說如實行「撝謙」，就沒有事情不利。

「不違則也。」

「違」是違背；「則」是法則。「撝謙」這做法沒有違背謙道的規則。

有關「撝」字的解釋，古今註解家有很多不同的意見，一直到今天仍未一致。我只說說主要的兩種。第一種說法，「撝」字與今天的「揮」字相通，本義是揮手，引申為手腳的運動。如採用此義，揮手揮腳展現謙德的話，亦即是身心實踐謙虛的道德，而且具體表現為別人也感受得到的謙德，兼能夠持續完成謙德，那就做任何事情都沒有不利了。第二種說法是揮之而去，意思是人人誇讚我有謙德，因而尊重我，我感到慚愧，覺得與實際不符，推辭謙德的名聲。這和曾子讚揚顏淵能夠從事「有若無，實若虛」之德類似（見《論語》）。兩個說法都有道理。

從卦象來說，六四陰爻在陰位，得正。陰爻象徵虛己，陰位也象徵虛己，所以六四重柔，象徵雙重謙虛，因此這爻的先天屬性已有美好的謙德，不須勉強便可以實行謙德。以爻位象徵地位高低論，四爻貼近五爻的君主，他就是輔佐君主的大臣，地位崇高。不過他現在的地位很尷尬，在上的六五是個虛心服善、具備謙厚美德的君主；而在他之下的九三則是個「勞謙」、「萬民服」，真正為國操勞的大臣。他介乎具備謙德的君主和「勞謙」的大臣之間，應怎樣自處才適當呢？第一點，當然是要更謙虛來奉承在上謙厚明德的君主；第二點，要虛己對待在下的九三大臣，因為他已是「萬民服」，因此也要樂意推崇他、降低自己身份去結納他，毫不猜忌讓他管治國家政務，這樣才能上下關係處理得妥當。但六四乘剛，而乘剛是有問題的，單實行謙德是不夠的，還要把一切成就功勞推讓給九三，令到九三和君主保持密切的聯繫，合力施政，那他就可尊賢樂善，而不失冢宰大臣的身份。所以他一方面盡量發揮謙德，一方面推辭一切權位，讓九三執掌國政（否則他是理所當然的宰輔大臣，由他執掌國政才合理），他不止不妒忌九三，還盡量下交，推崇他，這樣不特沒有違背謙德的法則，還是大臣實踐謙德應有的風範。

由初爻謙德的牧養，經過六二到九三，一步一步的發展，個人自我修養謙德已達到最高的極限，易學認為任何事情都不應該發展到極限，因為發展到極限就會走向反面，所以上三爻則是要盡量抑制謙德，不要讓謙虛變得過度；要減損謙德，所以「撝謙」是指推辭不敢接受謙虛之美名。

內卦是自己或內在的本質或作為；外卦是外界或在外面的表現。九三是內卦的主宰，它掌握《艮卦》的一切德性，《艮》為山，在中國文化中象徵道德，制止自己實行邪惡，因此九三具備最盛大的道德。上面是《坤卦》，《坤》為順，展現為恭敬的禮，這不單是外表順從，內心也順從。孔子在《繫辭上傳．第八章》便根據《謙卦》九三的德性，讚揚他：「勞而不伐，有功而不德，厚之至也，語以其功下人者也。德言盛，禮言恭；謙也者，致恭以存其位者也。」他內心具備最崇高的美德，外表表現出最合適的禮貌、行動，所以這爻特別好，六四不得不推辭而謙讓。能做到這樣，反而沒有違背謙德的原則和法則。謙德之名聲過於高大是不適宜的，現在它過謙之後減少一點，則可持盈保泰，不致走向反面。

這一爻暗喻不自私的只以發展個人的德、才、位為事，而在適當的時機扶掖別人發展成就其德、才、位，是謙德的崇高顯現，而亦因此反而提升本身的德、才、位。

六五，不富，以其鄰，利用侵伐，无不利。

「六五，」

「六」指它是陰爻，「五」指由下往上數處身第五爻位。

「不富，」

六五得中，凡得中，必兼得正。既然六五這爻得中，自自然然就會得正。得中表示它的道德才幹、思想行動都是恰到好處，合乎正道，所以是好的。論爻的陰陽，陽實陰虛，「不富」即虛，「虛」代表虛懷、虛己，能容納一切事物。正如《蒙卦》的六五虛己，所以能接受蒙師的教導。一個人如大腦塞滿了不合理的想法，你跟他講道理，他也不會聽得入耳。如在上的君主虛懷若谷，接受所有人的合理建議，就是個好君主，就能得到舉國上下人等的尊敬。

「以其鄰，」

「鄰」是鄰里，六五的鄰里指六四和上六，既是鄰里，就會互相影響。引申，下面初六、六二、九三三爻都可勉強稱為六五之「鄰」（遠鄰）。「不富，以其鄰」照字面解釋，它是陰爻，所以空虛不富有。「以」是用，因此能用它的「鄰」作為助手，幫助自己做事。高亨教授的新解：「以」字解作因為，「不富，以其鄰」解作國家的不富有，是因為受到鄰國的侵略，財富被奪取；所以發動軍隊對抗，得到勝利。這說法是否符合原義呢？值得懷疑！在此不採取其說。

「利用侵伐，」

傳統的解釋認為君主虛懷若谷，雖然國力不強大、國家不富有，但通過實行謙德，受到所有臣民的擁護愛戴，得到諸侯的支持，就可進行侵伐。這裏有「利」、「用」兩字，它們的性質不同，上面已提到「利」是時機適當，有這種才幹去做事就會成功；「用」則可能沒有這時機、沒有這才能，但可憑藉合理的行動進行，現在就是憑藉謙德，就可進行侵伐。「侵」是小型的戰爭；「伐」是堂堂正正、名正言順、以正義糾正不義的戰爭，這裏可能只是譬喻，不是真正發動戰事。

「无不利。」

這句放在最後，說出了如能得到「鄰」的助力，不單發動戰爭有利，實行謙德的君主做任何事情都有利，不帶條件性。

《象》曰：「利用侵伐」，征不服也。

《小象傳》解釋說：「利用侵伐」是為了「征不服也」（將不服從的人征服）。我們可分幾點來說明：第一點，五爻是君位，象徵君主，所以爻辭所講的是君主如何對待臣民或與鄰國的關係。為甚麼《謙卦》會講到戰爭呢？本來實行謙德，尤其是君主推行謙德於天下，天下人全應追隨；但無論這君主有多偉大，這國家政治制度有多完善，教育有多成功，能夠實行謙德的人只會是大部份，另外必有不實行謙德、驕橫無理的人存在。一個君主面對這情況，應如何處理？繼續實行謙德，容忍退讓，讓他繼續對抗？從治理國家的原則來說，一切措施，都應為大多數人的利益着想，當有少數人擾亂了國家的正常運作，使大多數人受害，即使是最推崇仁政的君主，也不能夠容許這種情形發生。「一家哭，何如一路哭。」只能犧牲一家，把犯了大罪的人處以極刑，使其他的老百姓得到幸福。因此推行謙德於天下的君主面對頑強、驕佚、違背謙德的少數人民，只好率領具備謙德的大多數人民，共同對付、糾正（侵伐）違反謙德的人，才是推行謙德的正確方法。因此特別強調不是為了爭奪資源利益而進行侵伐，亦不是有如秦始王、漢武帝，出於個人的好大喜功而去侵佔外國的領土，而是為了全人類的幸福去征討不服從謙德的人，這種戰爭才可容許。謙讓到極點的謙德竟然要講征戰，那是否和謙德相反呢？是的，隨着時間和地位的推移，謙德一直增加，過於謙虛就會出問題，糾謙之失，就不要過謙，五爻是要謙德恰到好處、要得中。行謙德為了得中，於是有戰爭的行為。以歷史為例，當禹為共主的時候，苗族作亂，大禹出征，他的大臣伯益說了一番話，其中有兩句相信人人都聽過的：「滿招損，謙受益」。為何打仗要實行謙德呢？大禹去到苗族的地方，展示了自己的實力（和謙虛相反），就班師回朝了，反而苗族自動來投降。謙德在中國每和戰爭有關，古語有云：「驕兵必敗」，因為違背謙德。戰爭有時用的策略是連敗幾仗，讓對方變得驕傲，於是一出動大軍，對方就會潰敗，這是利用謙德以致勝。所以戰爭最高原則之一就是「謙」，在戰爭之中講「謙德」是有道理的。

如進一步引申，「不富，以其鄰」是說自己虛己的才能不用，而任用其他人來治理國家，是大利的。這裏表面是說戰爭上利用「鄰」，下面的「无不利」是說做任何事情，君主能虛心任用人，在《謙卦》時都是大利。如六五賞識初六的「自牧」，以此培養謙德，委任他發展國家的教育事業；接着可利用九三「勞謙」的君子來施政。讚賞六四「撝謙」的舉動言語合乎謙德，委任他發展國家的禮制；再通過六二和上六「鳴謙」的善「鳴」，委任他們來發展中國儒家最重視的禮樂。所以六五能夠虛己不自用而用人，就可利用天下的賢才，達成治理天下的目的。因此君主（君主在今天可泛指各階層的主管或領袖）虛心用人，是國家政治成功最關鍵之點。上面提到的《大有卦》，同是六五，它虛心地任用五個陽爻，結果自己變成英明偉大的君主，而人民生活則幸福到極點。《大有卦》和《謙卦》都是君主能虛己，虛己便能善納勸諫，任用賢臣，這是國家繁華昌盛，百姓幸福的關鍵。

上六，鳴謙，利用行師，征邑國。

「上六，」

「上」指爻位最高，「六」指它是陰爻。

「鳴謙，」

這爻是在互體（三、四、五爻）《震卦》之上，《震》為「善鳴」（《說卦傳》），所以有「鳴」義。第二，上爻和三爻相應。「應」之中以二和五的應影響力最大，一和四的應影響力略次，三和上的應影響力最低，雖然如此，仍是互相感應。九三講謙德，上六與它互相感應，因此也講謙德，但自誇謙虛其實反而最不謙虛，所以九三不用講自己如何謙虛，但共鳴共震的六二和上六就應該講謙虛，因此「鳴謙」不是自我吹牛，而是服善，讚揚九三的謙虛，到此才可解釋六二「鳴謙」的意義。六二的「鳴謙」，是佩服九三的「勞謙」，因此「中心得」、心悅誠服地讚揚它。二和五雖是敵應，仍算是應，因此也想告訴六五君主九三如何「勞謙」，正因為他帶着服善之心，很想君主知道九三之謙，所以就「鳴謙」、讚揚九三。上六同樣是說出讚揚九三的心意。

「利用行師，」

利於用兵，派出軍隊。

「征邑國。」

「邑」是國內劃分的小行政區域，是諸侯分給大夫的封地。「國」，諸侯的國家，在古代其實也是很小的，十里乘十里的地方已可能是一個國家，人口可能少至幾百，多也只是數萬而已。

整句是說用軍隊征服自己國家裏面不服從、不實行謙德的人。

《象》曰：「鳴謙」，志未得也；「可用行師，征邑國也」。

「《象》曰：『鳴謙』，志未得也；」

「鳴謙」的原因是「志未得也」，心中希望人人實行謙德的事尚未能達成。

「『可用行師，征邑國也』。」

利用謙德來發動軍隊，但只能征服自己轄下的小邑。

為甚麼呢？第一點，上六是陰爻，陽爻代表材質剛強有為，陰爻則代表材質薄弱，德、才不佳。第二點是關乎位的問題，雖然六爻都分陰陽之位，但在貴賤方面，「初」和「上」都是無位的，「上」已退出事務，沒有權位。在這情況下，是沒有可能發動大型戰爭的。但又由於上六是陰爻在陰位，象徵謙虛過了度，要糾正它過度退讓，須轉用「剛武」；戰爭乃代表剛武，柔極要濟之以剛，因此以「征邑國」譬喻用「剛武」。其實四、五、上三爻，都隱寓這意義。

為甚麼説「志未得」呢？上六讚揚九三勞謙的美德，是希望所有人都去效法九三；但下卦是《艮卦》，卦德是「止」，上六本與九三感應，但九三「止」而不想上升，所以和上六應該「應」卻「不應」，這是由於卦時所造成的特例。另外，雖然它想和六五一樣弘揚謙德於天下，但任何時代必有反對謙德的人，因此只好發動戰爭對付不守謙德的人。但如發動戰爭，才位俱無，想用法律制裁反對謙德的人，力有不逮，只能實現志向的小部份，在自己管理的小小邑國之內進行，所以是小「志得」而大「志未得」。其實這可說是個譬喻，治理自己轄下的邑國，引申意義是自治，即自行糾正自己過謙的缺點，以陽剛調劑補救，令到謙德保持中道。現在上三爻過了中，就要把它帶回中道去，才能保持整個卦的謙德之美。

上面說過「利」很多時是指社會國家之利，有關這一點，上卦的三爻很明顯地顯示出此義；六四推辭自己謙德的名聲，六五和上六是要將謙德推行於天下而進行戰爭，因此這種利不是個人的小利，而是群眾的大利。《繫辭下傳．第二章》闡說「觀象制器」，多次用了「利」字，都是指人類的大利。可見得儒家不是不講「利」，但它不是講個人的自私之利，而是講對群體之利。

為何在這裏講「行師」、「征邑國」？上卦《坤卦》卦爻純陰，陰為平民，亦可象徵軍隊；下卦九三是全卦唯一的陽爻，是五陰爻的主宰，象徵率領五陰，這和講述戰爭的《師卦》很類似。但在這卦，三、四、五這三爻互體組成《震卦》，《震卦》類象為長子，以長子率師，是古代的常規（因為古代的官吏都是和君主有親戚關係的，假使出動全國的軍力，君主是不敢將之交託給與自己全無關係的人，因主帥擁有軍權，就可隨時反叛，因此春秋或以前的戰爭，君主都是將軍隊交給自己最親的人，那就多半是兒子，因此長子率師是常規）。另外，《坤卦》也象徵大地，國家是建立在大地之上，因此《坤卦》為國、為邑，象徵國家。

總結

傳說中的堯帝具備「允恭克讓」（誠信敬慎、能夠謙讓）的美德，舜帝具備「濬哲文明，溫恭允塞」（允塞，指充滿、充實）的美德（並見《尚書．堯典》），大禹具備「不自滿假」（不自滿、自大）的美德（《尚書．大禹謨》）。而上古說到「謙德」，常以治理洪水的大禹作為例子，上文已提到舜帝曾對大禹說：「正因為你不自以為了不起，所以天下沒有人和你爭奪誰更有才能。正因為你不去誇耀你的功勞，所以天下沒有人和你爭奪你的功勞。」這番話更被歸結為沿用至今天的至理名言：「滿招損，謙受益。」

（尚書·大禹謨》）。周初的周公旦告誡其子伯禽說：「《易》有一道，大足以守天下，中足以守國家，小足以守其身，謙之謂也」（《韓詩外傳·卷三》）。從這些記述來看，中國遠古已注重謙德。所以《易經》六十四卦分別講六十四個對古代人類最有影響的道理或事物之時，說明謙德的《謙卦》就是其中之一。尤其須注意的是其他六十三卦，包括《乾》、《坤》兩卦在內，六爻都不是全吉利的，惟有《謙卦》是例外，下三爻皆吉而無凶，上三爻皆利而無害，這可說明謙德對人的重要性。下三爻象徵自己內在，所以是說個人如何修養謙德。由初爻到三爻是謙德逐步修養到達最理想的境地。外卦是講對外發展，因此四爻到上爻就是講述如何應用謙德來待人處事。待人處事，引申小至個人一切的事，大至國家大事等都是。深明《易經》道理的人知道任何事情都有一個發展的過程，由微小變為強大，再由強大走向衰弱的相反面。但在《謙卦》，雖然強調任何事物發展到最後都會走向相反面，惟有謙德儘管極謙，也不會走到相反不吉利的一面，這是唯一的例外。

謙德不等同於自卑，沒有名譽、財富地位、道德、才能的人，不能稱為謙虛，謙虛是有了名、位、德、才之後，而自己不以為有。因此有了名、位、德、才的人，才要實行謙德，還要求他明白為何要實行謙德，然後感情發自內心，才是真正謙德的表現。正是因為這樣，所以在這個卦裏面，卦辭沒有講述為何要謙虛的道理，但在《彖傳》，儒家就從天道、地道的自然規律來說明天地的自然規律「虧盈益謙」。故謙德不是人類所獨有的，而是萬物或自然的規律都應該是如此的，結果就使遠古以來崇尚的謙德有了宇宙論的哲學根據，認為人之所以實行謙德，正好比萬物要服從自然規律，是理所當然的事。

另外，有德、才、名、位而不居，背後的意義其實是說降低自己的德、才、名、位，抬高別人的德、才、名、位；減損自己的金錢去幫助貧窮的人等等作為，令到彼此比較平均，才能展現自己的謙德。所以在《大象傳》中就特別強調了「裒多益寡，稱物平施」。這兩句話同樣變成了指導、衡估這卦中六爻思想行事是否合乎道理的關鍵之所在。既然下三爻謙德已發展到最高，因此上三爻反而不要過謙。這裏指出實行謙德是正確的，但亦不能過謙，例如仁以為己任，便不能謙讓，而有君子之爭（如在公平表現才德的時候），所以它特別暗中說到謙虛並不是自己退縮不做任何事情，只是在名、位、德、才方面的退讓，而是更積極去從事進德修業。同時，假使謙虛退讓已成風氣，但仍有少數人表現驕橫，破壞謙虛的習俗，那就需要用「裒多益寡，稱物平施」的原則來處理。甚至誇張地用上討伐，使驕橫違背謙德的人受到一定的制裁，這是說謙德尚柔，但過份的柔沒有剛德去調劑，也是不好的，所以下三爻是盡量達到柔的極限，上三爻則柔中寓剛，以矯正過柔的缺點。這就是《謙卦》的關鍵精神。

另外，二千多年來通行本《易經》的卦序蘊含高深的哲理。《謙卦》是通行本《易經》的第十五卦，前一卦（十四卦）是《大有卦》，「大有」是大獲所有，是說天下昌盛富有到極點，要想持盈保泰，便不能讓富有發展到極限，所以《序卦傳》說：「有大者不可以盈，故受之以謙。」所以繼《大有卦》之後是《謙卦》，要實行謙德，那就可以持盈保泰，繼享「大有」的幸福。如果從這裏推論，那便可得出將自己過多的分予別人是謙德其中一項做法，《大象傳》便是以「裒多益寡」這一句來點出了。

《謙卦》五陰一陽，九三功高德尊，為眾陰所服，如果不謙遜，則無法保其終，所以這一卦的卦義便是從此而來。陽尊陰卑，因此其他五陰爻實行謙遜並不困難，初柔爻在最下位，二爻重柔得中，四爻重柔得正，不怕它們不謙遜，反而怕它們過於謙遜。至於五爻居君主尊位，上爻處身最高之位，假使極謙而不已，反而過了，所以應「體」陰柔而「用」陽剛，這樣才既可以攻己之「偏」，又可以治人之「叛」，所以六五以侵伐為利而不說謙遜，上六以征邑國為利，而不可謙遜。其實文中的侵伐和征邑國，引申都可說是譬喻之辭：意指集合眾多謙虛的人以糾正不守謙德的人，六五象徵君主，應將這措施施行於天下，上六為諸侯，當施行於他的封邑。這樣天子、諸侯、大夫各就他的職位，弘揚謙遜之德，就能移風易俗了。宋代項安世的《周易玩辭》是解釋《易經》非常有見地的一本好書，後來的易學大師例如元代的俞琰和吳澄等便多採用他的說法，他總結《謙卦》六爻的一段文字寫得很好，清代的《周易述義》亦發揮他的說法。現在根據他們的說法，概括說明《謙卦》六爻之義如上。另外，下一段也是引申其說的。

《謙卦》五陰一陽爻，九三唯一陽爻是成卦之主，統率卦中五陰爻，卦中五陰爻的行事和得失，和九三密切相關。九三既是全卦之主，亦是下卦之主，所以影響初六、六二兩爻特別深，初六受它的影響而實踐謙德，謙而又謙，卑以「自牧」。六二、六四分別和九三親比，六二重柔，既受九三的啟發以實踐謙德，又因得中得正，本身自具謙德，故樂於響應，順其本性發展其謙德，所以是「鳴謙」、「中心得」。六四亦是重柔，亦能夠實行謙德，由於乘剛，更須實行謙德方能免咎，再加以身在六五聖主、九三賢臣之間，德不及六五，而功不及九三，因此「无往而不撝謙」，亦「无往而不利於撝謙」。

他所實行的謙德就是《象傳》所闡發的對九三是「下濟而光明」，對六五是「卑而上行」。六五人君，秉承謙虛之德，更進一步，虛己之才德而不用，而任用九三以及群陰，不自用而用人，天下之人都樂於為他所用，國家便在群賢努力經營之下，臻於富強，這才是謙德的大用，讀者應細心體會這一爻的奧義！上六身在坤卦上爻，所以柔順之極，具備謙德，因和九三陰陽相應，所以「鳴謙」，下從九三。九三為互體三、四、五三爻組成《震卦》的卦主，所以和六五一樣，亦象徵行師，但上六臣位，不能像六五天子的「侵伐」及於天下，所以只能「征」自己的「邑國」。由於以鳴謙而用師，宣明謙遜之德以告邑國，所以邑國之人亦不頑抗，樂而順從，所以得利。

統觀《謙卦》卦主九三具勞謙之德，卦中五爻響應以實行謙德，於是下三爻得吉，上三爻得利。得吉得利，都不是由於神靈的偏私眷顧，而是由於自然感應之理，「感」於善行的，自然和吉、利相「應」而得吉得利；「感」於惡行的，自然和凶、悔、吝相「應」而得凶、得悔、得吝，後人綜括其義為：「禍福無門，惟人自召」！研習《易經》的人，請細心體察此義！

謙是謙遜、虛己，正是不以自己有德、才、名、位，才能虛己發現別人有德、才、名、位，從而推許別人的德、才、名、位，這樣謙而合禮，反而會得到別人對他的德、才、名、位的認可和尊敬信服，此其一。

能夠虛己以推許別人的德、才、名、位，便易產生服善之心，有了服善之心，自會「見賢思齊」，學習別人的長處以改善自己的不足，甚至亦可從別人的不善，以檢討改正自己的不善，達到「見不賢而內自省」，這樣便會德日進而業日廣，要進德修業，改善自己，實踐謙德是極好的方法。這便是孔子所說的：「三人行，必有我師焉，擇其善者而從之，其不善者而改之。」此其二。

將謙德盡量擴充，就會「人之有善，若己有之」，不特不忌人有才、德，反而會以自己多餘的才、德，鼓勵、扶助別人發展他的才、德，具備這樣大公之心，便可不用自己的才、德，而任用天下人的才、德，這樣便可成為領袖群倫的偉大領袖，最後，天下的才、德，都會歸於他，這是《謙德》的最高表現，此其三。

明白《謙卦》所發揮的謙德的精義，就明白中國傳統文化注重謙德的原因，也知道為甚麼現今及未來仍須承繼傳統實踐謙德的原因了。

研習《易經》的人，應對這些地方細心體會、深思，才能真正有所得。

【第九講】坎卦

䷜（坎下坎上）

習《坎》：有孚，維心亨；行有尚。

《彖》曰：「習《坎》」，重險也，水流而不盈，行險而不失其信，「維心亨」，乃以剛中也。「行有尚」，往有功也。天險不可升也，地險山川丘陵也，王公設險以守其國；坎之時用大矣哉！

《象》曰：水洊至，習《坎》；君子以常德行，習教事。

初六，習《坎》，入于坎窞，凶。

《象》曰：「習《坎》入坎」，失道凶也。

九二，坎有險，求小得。

《象》曰：「求小得」，未出中也。

六三，來之坎坎，險且枕，入于坎窞，勿用。

《象》曰：「來之坎坎」，終无功也。

六四，樽酒，簋貳，用缶，納約自牖，終无咎。

《象》曰：「樽酒簋貳」，剛柔際也。

九五，坎不盈，祗既平，无咎。

《象》曰：「坎不盈」，中未大也。

上六，係用徽纆，寘于叢棘，三歲不得，凶。

《象》曰：上六失道，「凶三歲也」。

卦名闡釋

只有三爻的卦稱為「經卦」、「單卦」、或「三畫卦」，經卦共有八個，就是八卦；將八個三畫經卦重疊，成為六畫卦，共有六十四卦，稱為「別卦」、「重卦」或「六畫卦」。六畫卦其中有八個是上下卦爻畫相同的，叫「純卦」，「純」指上下卦都是純粹同一的經卦。除此之外，有一點與其他五十六卦不同的，那就是八純卦都是無應的，不能單就六爻之有應與否而論其吉凶。另外，八「純卦」與其三畫卦的名稱是相同的，例如三畫的《乾卦》變成六畫的卦，仍叫《乾卦》，三畫的《坤卦》變成六畫的卦，仍叫《坤卦》，但《坎卦》則是例外，六畫的《坎卦》稱為「習《坎》」！古人為此作出許多不同的解釋，有人認為這是沿用《連山》、《歸藏》古《易》舊名的：有人認為《乾》健、《坤》順、《震》動、《艮》止、《巽》入、《兌》說、《離》麗七卦都和吉德相關，但《坎》的德性為險、為陷，是凶德，是例外，因此卦名也例外稱為《習坎》。有人認為「習」字是衍文，原本是沒有的，這一說法宋代郭雍的《郭氏傳家易說》已加駁斥，而馬王堆出土的《帛書周易》亦有「習」字，可見原本亦應有「習」字。

首先要探究的是「習」字應作何解：

甲骨文「習」字，拆開

是翅膀

是鳥窩

後漢許慎的《說文解字》說：「習，數飛也。從羽，從白。」所以「習」引申解作重複，可能卦辭就是採用這一義；再從鳥飛翔時雙翼上下重複拍打，引申為學習之義，因為凡是學習都需要重複多次，才能學到的。「習《坎》」中「習」字第一個意義是重複，因此「習《坎》」就是指重複兩個三畫的《坎卦》。而「習」字從重複的原義引申為學習之義是順理成章的，所以魏代王弼說「習」字即「便習之」。後人則大多根據《彖傳》作重複之義，而將王弼的解釋作為補充。

王弼解為「便習之」，可能因為七純卦都和德性有關，唯一的例外是《坎卦》。《坎》為陷、為險，這不是人類的德性，因此加上「習」字，便使《坎卦》也有了德性，八卦便無一例外了。因為「習坎」等於「習險」，人如未經歷過危險災難，不能從中汲取經驗，一旦碰到危險災難，就不能脱險。反而人如經常處身險難之中，學習如何應付險難，有了應付險難的經驗和方法，以後縱使遇到同樣的險難，就可能能夠脱離險難或減輕險難的傷亡，而且從處身險難之中，更可孕育出人類偉大崇高的德性。例如《馬可勃羅遊記》説到中國遍地黃金，促使西方歐洲人冒險航海到東方亞洲。在那個年代，海洋對人類是個不可知的世界，充滿危險，但這些航海家能夠勇往直前，雖遭受到不少人命財產的損失，但終於找到歐亞兩洲的通路，開展了現代的文明。可見王弼解釋「坎」為「便習之」，雖然和《象傳》解釋為「重險」不同，但更有哲理。

習《坎》：有孚，維心亨；行有尚。

「習《坎》：」

重疊兩個相同的經卦《坎卦》組成別卦《坎卦》，人應從中學習《坎卦》應付險難的原則和方法。

「有孚，」

高亨教授把「孚」字解作俘虜，接下來，他把「維」字解作二心，「亨」即享祭，指「有俘虜懷有二心，則殺之以祭神，出行將得賞」（《周易大傳今注》，中華書局一九九八年版，二七三頁）。但傳統「孚」字解作信實，「信」的更高層次就是誠。《坎卦》兩經卦的上下四爻都是柔爻，中間的九二和九五則是剛爻，剛爻象徵信實；又，「中」在人體，象徵人心。因此二、五兩陽爻象徵一個人具備陽剛信實的德性，和戰勝險難的信心。上文已說過，乾陽進入陰中，便會推動坤陰產生變化，於是宇宙中的萬事萬物便開始產生和持續發展了。籠統來說，任何一陽爻其實都是乾的化身，尤其是中爻更甚，象徵它具備了乾陽的德性。

《乾卦》的德性是健，以此推動天地的周行無息，由於它是穩定、持續、重複出現的，猶如誠信的人，其言行可長久及累次重複而不變，因此這是天的「誠」德的表現，所以叫做「至誠」。《中庸》就是根據《易經》這理論而進一步發揮，提出「至誠無息」之說，認為人應法天的「至誠」，宋代及以後的儒家便以實踐「誠」德為終生的目的。《坎卦》是乾陽中爻進入《坤卦》之中，以《坤卦》為體，以《乾卦》為用，最能表現《乾卦》的德性，所以是表現「誠」最具體、最標準的卦。相對來說，和它爻畫全部陰陽剛相反的《離卦》是以《乾卦》為體，《坤卦》為用，《離卦》二和五兩陰爻，即《坤卦》的中爻，具備《坤卦》的德性。本來陽明陰暗，但陰必從陽，《坤卦》性質為順（但只順從乾陽），當它完全忘記了自己，順從乾陽，就會從坤的本性轉變成乾的性質。所以最能顯現《坤卦》德性的六二爻說它具備「直，方，大」的德性。請注意：《乾卦》的德性是直、方、大；其中「方」的德性《坤卦》也有，但「直」和「大」則是《乾卦》

所獨有的。為甚麼《坤卦》在六二這一爻特別指出它有《乾卦》「直大」的德性呢？就是因為六二爻重柔得中得正，最能代表《坤卦》的性質，所以最能順從陽、效法陽，首先得到《乾卦》直方的德性，然後在持久實踐直方的德性後，也具備《乾卦》大的德性了。另外，坤卦六五一爻說：「黃裳元吉」，亦是以坤須順從陽然後「元吉」的。因此《坤卦》的二爻和五爻兩陰爻進入乾卦，變成《離卦》，得中得正，順從乾陽到極點，黑暗的本性就變為陽的本性，陽的本性是明，因此《離卦》是至明。至明則光芒燭照天地。所以《坎卦》為誠，《離卦》為明。這就是《中庸》所說的：「誠則明矣，明則誠矣」。掌握了《坎》、《離》兩卦的精義，就會對儒家道德和修養之道思過半矣。

因此「有孚」是說具備了乾陽德性的「誠」，乾在險難中仍保持誠信，勇往直前，健行不息，這就是出險之道。古人以「精『誠』可動金石」說明出險的緣故，所以這卦的「有孚」，和其他卦的「有孚」，有層次高低的不同。

「維心亨；」

「維」是發語詞；「亨」是亨通；「心亨」，內心要亨通。「心通」則可以渡過險難，解救險難的行動得以順利進行。意指內心不因外界的險難阻撓而氣餒，即使前途一片黑暗，充滿陷阱，但受到乾陽德性影響的人類也能夠充滿信心，帶着豪邁、樂觀的精神勇往直前，相信只要自己謹慎，勤於學習，就能渡過一切險難，到達成功的彼岸。換言之，凡在災難中遭受失敗的人往往就是由於氣餒，退縮放棄，或者沒有出險的知識等，結果被危險、災難打倒；或者就是沒有這種豪邁、樂觀的精神和堅強信念、半途而廢。只有心中具備能戰勝一切險難的人，堅持奮鬥，不畏懼危險失敗，便能衝破重重危險、災難。其實這是效法水的德性。有人或以為自己出身富貴之家，生活一世無憂，又怎會有險難呢？但事實上，人的一生都和危險、災難連繫在一起。未來是不可預知的，做大事的人的前景更不可知，因為變數太多了。因此每向前行一步，每做一事，所面對的是「前路黑暗，不知道如何向前再踏出一步」，如果沒有「有孚」（信念）、沒有「維心亨」、沒有應付「黑暗」的知識和本領，是不能擺脫「前路黑暗」的。原始時代的人面對的都是「前路黑暗」，今天我們因為有了前人的犧牲和努力，才將前行之路的黑暗變為光明，但未經開拓的新道路，前途仍是黑暗的。凡是失敗的人往往自暴自棄，怨天怨地，責備政府、老師、父母、所有的人類和事物等，這便是和卦辭相反的「心不亨」；有為之士卻會犧牲自己，為人類的未來締造幸福。西方十五世紀的航海家便有這種精神，能夠一往無前，葬身大海也絕不後悔。如果大多數的人都能夠為了人類、國家、親友等貢獻出自己能盡的才智勞力，未來的人類才會越來越「光明」。如果甚麼事也不做，甚至只有破壞，沒有建設，社會就會由光明變為黑暗。所以每人都要盡自己微小的力量，發出一點微弱的「光輝」，匯聚就會變成「太陽的萬丈光芒」。因此「維心亨」最重要的是「心」，這是第二個出險的要素。

「行有尚。」

「行」是行動；「尚」是嘉尚、尊尚。凡處身危險，不應甚麼都不做，一定要有所行動才能出險，但行動必須是適當的，才能脱險，才會有好的結果。高亨教授把「尚」解作賞賜，「以其往而有功，故得賞也。人能行險而不失其信，有剛健、正中之德，則能往而有功矣。」（同上書，二七四頁）「尚」是因行動成功而得到封賞、獎賞，這個解釋有道理。

卦辭説出了面對危險、災難，不一定會被危險、災難打倒，能夠實行三個要素就能脫險：第一是「有孚」、第二是「維心亨」、第三是「行有尚」。所以下面《小象傳》所說的「失道凶」，迷失不行正確的道路或道理，就是說「凶」可能就是由於不實行這三個道理（要素）。

《彖》曰：「習《坎》」，重險也，水流而不盈，行險而不失其信，「維心亨」，乃以剛中也。「行有尚」，往有功也。天險不可升也，地險山川丘陵也，王公設險以守其國；坎之時用大矣哉！

「《彖》曰：」

《彖傳》用卦體和卦德解釋「習《坎》」卦名之義，說：

「『習《坎》』，重險也，」

「『習《坎》』，重險也，」

經卦《坎卦》是險難，重疊兩經卦《坎卦》而成的別卦《坎卦》，所以是重重的危險、災難。

「水流而不盈，行險而不失其信，」

這仍然是從卦體和卦義來解釋卦辭「有孚」這兩個字的意義的。「水流而不盈」，卦體是《坎卦》，卦象是水，卦德是險陷，它流動不息，不盈滿。不盈滿的原因是水不停留、持續向前流動。相對來說，《兑卦》象徵沼澤的水，它停止不流動。「盈」是盈滿。流動的河流有個特殊性質，就是不會滿盈；即使河流的水滿了，阻滯了它的流動，但是盈滿的水累積到了某一程度，它的力量就會衝破阻塞，繼續向前流動。「行險而不失其信」，水流最初只是涓涓滴滴，但時間長了，聚集了其他支流的水，結果涓滴之水終於變成了大江大河。地球剛產生河流之時，河流源出之地到處都是沙石、甚至是高山，阻擋着它向前流動。它由靜止不動變成流動不已，要衝破重重的險阻，最後才發展變成巨大的河流。因此水的性質是面對危險不逃避，而是面對它、衝破它，繼續前進。「行險」就是流動之時經歷的種種危險、災難；「不失其信」，不會改變它實踐誠信之德，即不會改變水的本性。水的本性第一是向下流；第二是就濕，即向濕的事物靠近；第三是有信實，不會因為前面有險阻而放棄不前，「信」就是「誠」或「孚」。另外，潮汐有信，漲退有時，亦是「信」。這是以《坎卦》的德性來象徵人的誠信品德。

「『維心亨』，乃以剛中也。」

卦辭「維心亨」，是說水具備了剛中的德性。凡是陽爻在二或五的爻位都叫「剛中」，別卦《坎卦》上下卦的中爻都是剛爻，所以都有「剛中」之德，但這裏尤其是指九五一爻。為甚麼它心中具備誠信之德呢？就是因為它具備「剛」和「中」的德性。「剛」的德性令它勇毅、剛健有為，有堅定的人生信念；「中」的德性令它能適當合理地處理一切事務，也令它不會剛愎自用，能夠隨時因應環境和對象的不同，用最適當的方法來脫離險境，達致成功。

「『行有尚』，往有功也。」

卦辭「行有尚」，指出處身險難之中，須要有適當的行動才會有脫險的好後果（「功」）。

「天險不可升也，地險山川丘陵也，」

這是《象傳》的作者從卦辭「重險」引申、發揮的哲理，天險由上卦《坎卦》為險引申，地險從下卦《坎卦》為險引申，於是從哲學的觀點進一步說出了所謂「險」，包括「天險」、「地險」，暗喻還有「人險」、「萬物之險」等。「天險不可升也」，天險是因為天高高在上，人類無法升到天上，縱使升天，也會跌死，故是險阻。「地險山川丘陵也」，地險或指高山、或指河流、或指小山、或指山陵，以這些代表了大地的險阻。天險是屬於「無形之險」；地險卻可從其形貌，得知其險，是「有形之險」。「無形之險」亦暗中指高低上下之間所產生的不能逾越的險阻，《彖傳》隱寓了這義蘊，後來北宋程頤的《易程傳》予以發揮，說無形的危險就是法律和禮制。禮、法律、政制等是無形的，即是說將天險變成人險的話，就是以法律、禮制規範人的行為。進一步引申，就是從尊卑上下、保障人類能過幸福生活等原則作為規範。古代認為尊者在上、卑者在下是禮制問題，禮制和法律形成一個有等級的社會，也即是說分成統治階層和被統治階層。雖然今天社會講民主，反對尊卑上下的觀念，但軍隊還是要求下級絕對服從上級，不能講民主的。所以「天險」可引申為為了克制人類不合理的個人慾望乃至為害別人的行動，於是設立政治、禮制、道德、法律等。「地險」是指利用不同的險峻地形以防範敵人的侵襲、攻擊。中國有些地方是幾百乃至幾千年來軍事必爭之地，原因是那處最利於防守，如不能攻破，敵軍則不能長驅直進，否則即使前進，如果這處據守之地仍然存在，會使敵軍首尾受敵，最終可導致被殲滅或失敗。「地險」的引申是模仿山川河流之險建築城堡，城牆外還有護城的河流，令敵人難以攻城。究竟中國何時才利用地險、創建城池呢？恐怕春秋之前是沒有的。雖然歷史說遠古已發明了城池，但春秋時代以前的戰爭記載很少說到攻城，或利用山川河流的地險以防禦敵軍的進攻。古代戰爭多在平地交鋒，但春秋時有名的「殽之戰」，晉軍在險要的殽地埋伏，上下前後夾擊秦軍，使秦軍全軍盡墨，可能是首見於文獻利用地險的，這事發生於公元前六二七年。所以真正利用城池作為地險的是要到了春秋時代或以後。到了戰國，大家都築城自保，所以後來所指由秦始皇建築的萬里長城，其實只是把六國的長城和秦國的長城連接起來而已。

中國古代屢受外族統治而最終沒有真正亡國，中國文化仍能持續發展，跟長城有密切的關係。因為中國的東南有海洋的地險，難以入侵，外敵大都來自西北，外族入主中國之後，長城變成阻礙統治者和族人連繫的「地險」。結果長城以內的外族漢化，變成中國人，長城以外的外族仍是異族。這也由於中國文化有一個優點配合，才能如此，那就是只以文化，不以血統決定是否是中國人。如果雖然是中國人的血統而以英、美文化為依歸，那就不算是中國人；如是英美人士，依隨中國人的方式過活，說的是中文，想法行動與中國人無異，那古人也會承認他是「中國人」。正是因為不論血統，所以可以容納所有願意接受中國文化的外族成為中國人。這是中國所以偉大的原因。萬里長城未必可抵抗外族，卻可保存中國文化，同化入侵的外族。

「王公設險以守其國；」

「王」字指統一天下的共主或君主，字形的三橫畫自下而上分別代表了地人天，一直畫連貫着地人天，是上承天、下統地、中控制着眾人的那個人，他是萬國的共主，例如商周的天子。「公」是公侯、是指萬國之君以下的諸侯。整句是說由君主到諸侯的國家模仿了天險和地險去創設了類似的險來守衛國家，對外是利用地險的城池和山川形勢防禦敵人，對內是運用禮法刑政以維繫國家的長治久安。這是效法天險和地險，而建立的「人險」。

「坎之時用大矣哉！」

因此雖然《坎卦》所說的危險、災難為人類帶來不幸、痛苦、不方便，但如掌握了危險、災難背後的理論和精義，神而明之，那反而在遭遇危險的時候，可以磨煉自己、加強自己，提升人類的聰明智慧，結果可解決從前不能解決的危險、災難，甚至把險阻變成對人類有利益的事物。所以如掌握了險的「時」（環境、情況、性質、時世、趨向、動態等等），它的作用會是非常大的。以前已說過「時中」、「時義」，這裏加上了「時用」，「時用」的「時」，不是指平時之時，而是指需要用到它的時候的「時」。這裏說出了一個要點：「習險」，它不是說年紀長大後踏足人世才去「習險」，而是一出生就要令自己熟習危險，那就能適應危險、了解危險，然後才能逃避危險，甚至戰勝危險。

以上是對「險」的引申發揮，《彖傳》哲理偉大的地方就在於此。由卦象推衍到天地之道，由天地之道落實為人道，說明人類的一切重大行動都與自然規律相關相應，因此人類的合理行動背後是有天地之道為根據的。更須要注意的是：好的事物固然要利用，但壞的事物亦可使它變成磨煉我們的德性和激發我們聰明、才幹的好工具，所以更應利用了！

《象》曰：水洊至，《習坎》；君子以常德行，習教事。

「《象》曰：水洊至，《習坎》；」

《大象傳》解釋說：「洊」，再次，指水再次到來。「習《坎》」，指六畫卦的《坎卦》是由上下兩個三畫《坎卦》組成，《坎》為水，六畫《坎卦》是由上下兩個三畫的《坎卦》組成，象徵後水（下卦）跟隨着前水（上卦）不絕地向前流去，所以卦名是重疊的《坎卦》。《大象傳》以卦體、卦象說明《坎卦》所以稱為《習坎》的原因，而其義蘊則是指出水流是永恆不息地向前流動的，而水的永恆不息地流動，本身便蘊含了偉大的德性，受到孔子的讚揚：「逝者如斯夫，不舍晝夜」（見《論語．子罕》）。

「君子以常德行，」

這裏的「君子」是指有道德、有學問的人；後來或者以此稱呼學《易》的人，勉勵他成為「君子」。「常」，永恆不變；「德」指道德。體會了水流永恆無息地向前流動，君子對自己修德也應如此，終其一生，永恆持續精進不息。

「習教事。」

「習」，從後水繼前水，體會到人類學習也應一次又一次重複；「教事」傳統解釋指政教事務。《大象傳》總是以統治階層為其對象，要求他們根據這些教訓來治理國家，以此「習險」、「防險」，便不致為險阻傷害，使人民都能夠有幸福的生活。引申其實即使不是統治者，人人都就自己能力所及，提點別人如何脫險、防險的方法，使他們能夠解決人生的險難。

「常德行」主要是針對自己；「習教事」則是針對他人，教導他們如何做人，使國家可以維持和平安定，令全民得到幸福，因此人人都有責任去做的。

這個卦的卦象來自水，水是最清澈的，象徵人類原本具備清純的德性。上引孔子所說的「逝者如斯夫，不舍晝夜」，對水有一定的讚揚；道家的老子更特別推崇水，認為水的特性，接近道的特性。儒家崇尚仁德，山具備仁德，故推崇山；道家崇尚的是智慧，水具備智慧，故接近水。《繫辭傳》認為偏於崇仁或崇智都不是全美的，真正的君子要仁智兼重。所以《繫辭傳》是綜合了儒道兩家思想，並提升到更高的哲學層次的。仁智並重，是宋以後儒家受到易學影響的結果，既追求道德，亦追求知識。但和西方文化比較，則中國文化不管儒道甚至其他諸子百家，都是較重仁的，西方文化則是較重智的。

初六，習《坎》，入于坎窞，凶。

「初六，」

「初」指爻位最低下，「六」指它是陰爻。

「習《坎》，」

上下卦都是《坎卦》，象徵重重的危險。

「入于坎窞，凶。」

現在更深入坎窞之中，「窞」是「坎」中之「坎」——陷阱中更深的陷阱，即是險中之險。所以判斷辭是「凶」。

《象》曰：「習《坎》入坎」，失道凶也。

《小象傳》解釋爻辭「習《坎》入坎」，是說因為違背了「坎卦」脫離險難之道，所以是「凶」險的。從卦象來說，上下卦都是《坎》，所以卦中六爻，任何一爻都是坎險、災難。為甚麼強調這爻是「習《坎》」呢？從常識上說，小水不會造成「坎」險、災難，單一個三畫的《坎卦》也未必造成大險難，重重的《坎卦》才造成真正的險難，所以水多水深才危險。水性向下流，所以越是低窪之處，水造成的危險越大。初六的位置最低，因此在客觀形勢上，水能造成的禍害也最大。這是險難的第一個原因。陰爻象徵柔弱、沒知識、沒才幹，柔弱無能，所以沒有出險的知識和才能，這是第二個原因。「初」是陽位，初六是陰爻不得正，即是說與環境不協調，環境說應做某事，它偏反其道而行之，這就是「失道」。凡失正都是說所行違背正道，當然失正的人也偶然會成功，但最終不能免於失敗。另外，初爻不在中位，意味它的想法和做法都不合正確的脫險之道，這是第三個原因。而在險難時，自救是很困難的，但別人也許輕而易舉便能把你救出來，因此在險難之中，最重要的是有應，有應即是有助力。但八「純卦」都是無應的，初爻是陰，四爻也是陰，結果六四只能目睹初爻遇險而無法援之以手，這是第四個原因。至於出險之道，上文已提到是「有孚」、「維心亨」、「行有尚」這三個原則，古代是這樣，今天也不例外。

九二，坎有險，求小得。

「九二，」

「九」指它是陽爻，「二」指由下往上數處身第二爻位。

「坎有險，」

陽陷於《坎卦》之中，所以有危險。

「求小得。」

如果能從解決險難的小處腳踏實地行動，會有小小所得。這當然是指正面的好處，對險難有解救的作用，但「小」字也暗喻只能暫時減輕險難，仍未能脱離險難。真正脱離了險難，才是大得。

《象》曰：「求小得」，未出中也。

《小象傳》解釋爻辭：雖然從正道入手，逐步從小處解決險難，會有小得，但因為仍然沒有脱離下卦中爻的位置，仍被上下兩陰爻所形成的坎險所包圍，雖則它沒有真正被險難所傷害，但身處險難之地，仍須持續要從能力所及的小處，解除困厄、險難。

首先為甚麼它會小有所得？因為它是剛爻，性質陽剛有為，因此本身的才智和努力可以小得；另外，上面所説出險的「有孚」、「維心亨」、「行有尚」這三個原則都是指二、五兩爻所擁有的條件，雖然二爻得中而不得正，不是全美，但仍可發揮陽爻的能力，具備了處險、出險的能力，只不過能力被上下兩陰所削弱。雖然已實行了脱險之道，仍有不足，如能跟五爻互相呼應的話，足可脱險有餘，但可惜無應。請注意：卦辭「行有尚」（努力解救險難必被推崇尊尚、讚賞，可見有人響應），暗喻六爻有應之義，但爻辭根據爻位規律卻說沒有應，那是因為從「卦時」的長遠來說是相應的，但在人事只觀近期不觀長遠的短淺眼光中則不相應，而爻相對於卦來說亦是講短暫的環境時勢，由於二、五不相應，所以不能出險。因此它雖然具備了出險的三大原則或條件，可是遺憾得中不兼得正，另外，它仍受到上下坎險的包圍，再加上現在只是在第二爻位，是在解除危險的初階段，地位較低，脫險經驗未夠，方法未成熟，因此雖能避免直接受害，但如想真正脫離災禍，還需堅持脫險之道、努力改進。由此可知做任何事情都不能急遽，要從小處一步一步去做，正像大河最初也是由涓滴之水長久累積而成，做學問也如是。這裏說出要長期繼續努力，積小成大，才會有好的結果。

六三，來之坎坎，險且枕，入于坎窞，勿用。

「六三，」

「六」指它是陰爻，「三」指由下往上數處身第三爻位。

「來之坎坎，」

「來」指從上卦、外卦降至下卦、內卦；「之」指從下卦、內卦升到上卦、外卦。卦有沒有「來去」是個很有爭議的問題，在此不詳論。「來之坎坎」，是說當爻從上卦降至下卦，以為脱離了上卦的危險，到了下卦，仍是危險的地方；相反，從下卦升至上卦，以為脱離了下卦的危險，原來一樣進入危險的境地。因此無論來往，都進入重重坎險之中。

「險且枕，」

古今對「枕」字有很多不同的解釋，但不管他們的解釋怎樣分歧，對這一句的意義大體都是説表面安全的環境背後，其實是險難重重；或者可説在危難之中，靜止不安作為，尚有少許安寧。這兩説法都有道理，但前説更好。如果硬採字面解釋，「枕」指枕頭，引申為晚上就枕入睡，那時是人最安寧之時，於是「枕」有暫時休憩、安全的意義。另外，以一個卦的六爻象徵人體，腳在下卦，頭在上卦，頭枕在上卦，上卦是「坎卦」，所以是頭枕着危險睡覺，縱使暫時睡得着，亦只是暫時安全，其實暗中是危險重重。清代末年馬其昶《重定周易費氏學》根據唐代初年陸德明《經典釋文》：「古文枕作沈」，認為「枕」當作「沈」，因二字聲音相近而誤。「沈」有深義，「險且深」，指坎水既深且險，這可聊備一說，但這一說，因得高亨教授等的採用，而廣受新派註解家所承用。

「入于坎窞，」

進入水中的深坑位置，「坎窞」是坎中的窞，所以是險中之險。

「勿用。」

「勿」，一方面是勸導，另一方面是命令。「用」是行動。整句是說千萬不要有所行動。

《象》曰：「來之坎坎」，終无功也。

《小象傳》解釋說：爻辭「來之坎坎」指出無論前行或後退都是「坎」險，所以無論做甚麼以為能夠脫離險境的作為，最終也不能有任何好效果。

六三剛好是下卦的最上一爻，如說到《坎卦》的險難，初爻等於最初入險，二爻是處身危險境地之中，第三爻則有兩個可能性，一就是歷盡艱險後，終於脫險；一就是出險的作為不適常，被險難傷害。如何斷定是哪一個結果呢？那就要看卦時、卦義和六三爻有沒有上九陽爻應與，有應與相助，容易脫險；沒有應與相助，很難脫險。

《坎卦》六三是陰爻，能否出險呢？第一點，它是陰爻、才弱智昏，沒有脫險的能力；第二點，八純卦都沒有應，所以不能脫險。而且因為本卦是習坎重險，即使它幸而脫離了危險，由於上卦同是《坎卦》，由六三升上六四，就是進入上卦的初爻，是另一個危險的開始，即又再次陷於險中，所以六三爻辭說「來之坎坎，險且枕」。睡眠是人休息的時候，也即是說不應有任何行動，所以它的意思是說在危險的環境之中，要忍耐待時，看看事情的發展才決定如何行動。為甚麼要說「險且枕」？原因三是陽位，環境是陽，陽是有所行動、有所發展的，陰爻本身才弱，但受到環境的引誘，會忍不住有所作為，可是既然才弱智昏和無應，最聰明的做法是「勿用」，千萬不要有所行動。

六四，樽酒，簋貳，用缶，納約自牖，終无咎。

「六四，」

「六」指它是陰爻，「四」指由下往上數處身第四爻位。

「樽酒，」

「樽」是酒樽；依據「簋貳」，當指一樽酒（一壺酒）。

「簋貳，」

「簋」是裝黍和稷的器具，指盛米飯的食具，「貳」有兩個解釋，一是數目的「二」，即兩盅飯；一是解作輔貳，有補充增加之義，亦即協助辦事。傳統解作「二」，但朱熹在《周易本義》中解作益，即是增加、輔助、配搭之意。他的解釋在後世並不得到太多的註解家採用，我也只是採用傳統「二」的解釋。這裏是說祭品不豐盛。

「用缶，」

「用」是利用；「缶」是瓦造的器具。原始人類發明了用泥土製作器皿，經過火燒變成陶器，接着進一步，更以銅鑄造器皿。從商朝開始，古人已用青銅鑄造貴重的器物。《易經》著作的年代是周初，貴重的飯具應以青銅鑄成；但現在它說舉行祭祀或者大型的慶典，本應以青銅器裝載酒、飯，但現在只用了簡樸的陶器裝載。這裏包含了幾層意義：第一點，它不是隆重的大祭祀，可能只是在家中由女性舉行的祭禮。中外宗教大都相似，女性在祭祀儀式中地位是較低的，因此隆重的大祭祀都是由男性主持。而從這一層意義引申，是否用華麗高貴的器具和豐盛的祭品祭神就能代表內心的誠敬呢？不一定，最重要的是一心至誠，也即是《坎卦》所說的「有孚」，才是真正的誠敬。現在就是說，撇除表面的浮華，只藉一樽酒、兩盅飯，雖然簡樸，更能表現內心的恭敬、誠懇。第二點，這是以如何祭神譬喻對尊長尤其是九五君主的至誠服事之心。

「納約自牖，」

「納」是結納；「約」有兩個解釋，一是簡樸，一是信約；「自」是從；「牖」是在牆壁上開的窗子。古代居屋，東面是大門，西面牆壁開鑿一個窗子，那就是「牖」。

於是整間房屋就只有門和「牖」有陽光照射進來，其他部份都是較陰暗的。本來祭神應從門口送祭品進去，現在竟然從「牖」送進去，說出了男性的祭神是從正門進入，而女性的祭神是從「牖」進入。這只是譬喻之詞，以說明「牖」是陰暗的房屋有光明的地方。整句是說想結納神靈，令神靈感動，達成神靈與人之間的契約（「約」），就要神靈明白人的誠意。引申即要君主明白臣子的心意和做法。

「終无咎。」

最終可達到无咎的結果。換言之，從開始一直努力，到最後才會无咎。「无咎」不是「吉」，是本身有錯，經過努力的矯正，彌縫錯誤（過程中間，可能有「悔」有「吝」，甚至重重錯誤），才達到不好不壞的後果，但不會陷於「凶」中。

《象》曰：「樽酒簋貳」，剛柔際也。

《小象傳》解釋說：這段爻辭說出了女性祭神的經過，但這只是個譬喻，不了解其中的奧義，便難了解它在《坎卦》中產生甚麼重要的指導作用。幸好得到《小象傳》的發揮，就變成了人生的高級哲理。「剛柔際也」，「剛」是剛爻，指九五；「柔」是柔爻，指六四。「際」是邊際，即交界點，兩處地方連接的地方。這裏指陰陽交結在一起。陰陽結合，能產生很大的力量，足以讓人脱險。這裏譬喻説出六四為了要脱險，但本身才柔力弱，沒有出險的能力，但它帶着謙卑柔順的心態承順親比在上陽剛有為的九五，得到九五的幫助，這是最好的脱險方法。易學認為孤陰不生、獨陽不長，所以最重視的是生而又生，而生而又生一定要陰陽結合，好比男女的結合會產生後代；宇宙間陰陽的結合會生出萬物，陰陽的重複結合則使宇宙的萬事萬物生生不息，因此《繫辭下傳·第六章》所説的「陰陽合德而剛柔有體」，是易理關鍵之所在。

「剛柔際也」説出了解脱坎難的一個重要原則：互相親比。由此引申，人生做任何事情如想取得成就，一定要掌握「陰陽合德」這原則。陰陽性質相反，彼此是對待或矛盾的，但能將矛盾統一甚至更進一步結合在一起，則會產生神奇的作用。以學術或政治為例：搞學術或政治的人最易陷入主觀偏見，認為自己的學問或政治主張最好，凡和自己不同的意見，必定攻擊對方，甚至以自己的權勢壓迫對方。假使學者或政治家能虛心聽聽相反的意見，細心想想對方的想法是否有道理，如經過客觀理智的考慮，發覺仍不合理，那才去堅持自己的主張仍不遲。如真的客觀理智，很可能會發覺對方縱使在錯誤說法之中仍有可取的地方，於是用這可取的部份來補充自己的不足，那自己的成就或作為就更完美了。例如孔子對於「性」與「天道」都很少講到，造成他那套道德哲學缺乏超越性根源；道家則重天不重人，以此攻擊儒家不遺餘力。如儒家是死硬派，可能會不汲取對方的長處，但儒家的後學在《十翼》中卻能吸收了道家卓越的哲學思想，結果提升了儒家的哲學水平，令《易經》因有了《十翼》而從一本占筮之書變成偉大的人生寶典。學問總是「正反合」提升的結果，「合」就是陰陽合德。「剛柔際也」，由此可引申至任何事物。

九五，坎不盈，祇既平，无咎。

「九五，」

「九」指它是陽爻，「五」指由下往上數處身第五爻位。

「坎不盈，」

「坎」據文意解為水；「盈」是盈滿；整句是說坎水沒有盈滿。上文說過《兑卦》是小水、是沼澤或湖水。沼澤或湖中之水被泥土包圍着，是靜水，相對來說是盈滿的；《坎卦》則是長江大川，是不停流動的水，所以是不滿盈的。如大川大河的水盈滿的話，那就是碰到大山或陸地阻塞着它、不能再前進而累積的結果。如果從人的想法去解釋「盈滿」的原因，是水不流動；如果以水比喻險，那就是險難持續卻沒有解決險難的行動，那只會坐以待斃。現在「坎不盈」，代表水能流動，代表它仍有所作為，盡力去解除危險；另外，或者它因此成功脱險了。這個譬喻說出在險難中要有所行動，但最忌小有成就就「盈」，即自滿，不再求進，隨着時間過去，也會失敗。所以一個人如自滿，那就如水之「盈」，再不會「前進」；又如在危險中間，稍有成就就自滿，很快就會被更大的危險所吞噬。在人世間所做的事，開始有小小的成就，有時是糖衣毒藥，會帶給你更大的災禍，所以縱使「成功」，也絕不應自滿。

「祇既平，无咎。」

「祇」字古今不同的解釋很多，有解釋作安的，說在這爻位的人得到平安；「无咎」，指可達致無所咎害；有把「衹」字讀作「坻」的，「坻」指冒出水面的小丘，即水中小塊的土地，假使跌入陸地的陷阱，還可以經歷多天才會餓死，有機會呼救，幸運的話會被人救起；但如跌入水的陷阱中，就危險多了，很可能會短時間之內遇溺身亡。如用泥土填滿陷阱，變成平地，陷阱和水一同消失，那豈不是徹底解除了危險嗎？所以說「衹既平」，人為的努力將水中的小丘削平，把其中的陷阱填滿，危險就消失了，但只能是「无咎」。第三個解釋把「衹」字讀作「之」，只是個發語詞，整句是說坎水沒有盈滿，剛好達到水的平面，「平」代表水仍是流動的，水仍繼續流動，意指雖然初步解除了危險，仍不是完全解除危險，所以只是「无咎」，能徹底解除險難才是「吉」。三個解釋中，以解作剛好達到水的平面，文義上最通順，因為要把小山削平，填滿陷阱，花費的努力太大，不大合理，不是聰明的做法。

《象》曰：「坎不盈」，中未大也。

《小象傳》解釋說：「坎不盈」，是由於「中未大也」。「中」既指這爻是九五，更指九五陽爻在陽位，得中得正。《乾卦》的九五爻「飛龍在天」，是最理想的。但《坎卦》的九五一爻雖然陽剛有為，在解救坎難之時，只能做到「坎不盈，祇既平」，並沒有徹底解除坎難，所以這卦九五的陽剛中正之德並未能真正像《乾卦》的九五那樣發揚光大，因此爻的判斷辭只能是「无咎」。

上六，係用徽纆，寘于叢棘，三歲不得，凶。

「上六，」

「上」指爻位最上，「六」指它是陰爻。

「係用徽纆，」

「係」是連繫，用繩索把人捆綁在一起。「係」字左面的偏旁為「人」，右面偏旁為「系」、即繩索，從這個意義引申，後世就有了「關係」一詞；「徽」和「纆」都是黑色的繩索。東漢末劉表〔註〕註解說：兩股繩索繞在一起，叫做「纆」；三股繩索繞在一起，就叫做「徽」；「徽纆」都是用來捆綁囚犯的，引申凡使囚犯失去自由的東西都叫「徽纆」。整句是說災難降臨到身上，就如囚犯身體被「徽纆」捆綁着。

〔註〕劉表其實是個很有成就的《易》學者。漢末中原大亂，劉表為荊州牧，治理荊州，政治安定，文化興盛，很多北方著名的學者都逃難到荊州去，得到劉表的延聘，在那裏講學，形成了有名的「荊州學派」。王弼就是他的外孫，得到他以及自己家族傳承的學術精華，寫出了非常出色的《易經》和《老子》註解。王弼的解釋本身形成一個嚴謹的哲學體系，古今罕見，所以直至今天，仍是研究《易經》和《老子》不可不讀的權威著作。或許有人認為他的註解「歪曲」了原義，但這種「歪曲」，其實是學術思想上的進步。

「寘于叢棘，」

「寘」即「置」字，意指安放、放置；「叢」是叢叢；「棘」是有刺的樹木。古代的監獄每在圍牆上種滿了棘樹，類似今天有刺的鐵質圍網，以防止囚犯越獄。這可能即是《周禮》上所說的「九棘」，「九」字不是實數，就如「三」、「千」、「萬」等形容詞，只是指數目很多。這是說把他放置（囚禁）在圍以重重棘樹的囚牢裏面。有些註解家認為在周代，這是官吏審判囚犯，決定囚犯命運的地方，亦通。

「三歲不得，凶。」

「三歲」指多年；「得」是釋放。經過多年的囚禁，仍未能釋放，這是凶險的。

《象》曰：上六失道，「凶三歲也」。

《小象傳》以「上六失道」，解釋爻辭「『凶三歲也』」。「道」指思想、道理甚至行動，這裏是指出險之道。上六違背了出險之道，因此遭受了不幸的結果，被判囚禁三年。王弼的註解說，被囚禁的人三年中痛定思痛，改正前此之非，終能得到釋放。但有些註解家則說，三年仍未釋放，甚至因為死不悔改，最後被處極刑，這亦合乎周代法制。不過可能跟爻辭之意並不符合，「三歲」不釋放不代表永遠不釋放；另外，《小象傳》說：「凶三歲」，「凶」只維持了「三年」，三年後得到釋放，也就不凶了。王弼的解釋是根據《小象傳》之意的，較有哲理，應採用。「失道」則「凶」，如能知道自己失道，而走回正道，那當然脫離凶險走向「无咎」了。

總結

《坎卦》是從水的特性發揮人生哲理的。水在古人眼中有甚麼意義呢？他們認為無論是怎麼鉅大的大河大川，源頭都只是涓滴之水，但經過長時間的積累，涓滴變成小水，之後就會向前流動。最初的小水，沙石泥土已能阻止它向前流動，以人類的觀點來說，這種阻塞對水已造成災難危險。假設水是有心的，可想像它具備樂觀之情，有最終必定能夠奔流到東海的堅強信念——它理想的歸宿，因此它面對沙石、乃至後來的大山深谷所造成的險阻不會害怕，而會默默地、忍耐地通過重重的險阻去增加自己的能力，於是由小水變成大水，逐步衝破險阻，繼續前進，直至到達大海為止。這在人類來說，就是進德修業不已。古人從此體會到人應有的德性：第一，任何的事情都應從基本、最小處開始，應從點滴之水長期積累才可變成江河得到教訓，如以為一下子便可變成長江大河，那就違背了水發展的過程，也違背了宇宙發展的原理，更違背了人生的道理。第二，任何事情得以成功，都是由於持續的努力，有如前水向着前方流動，後水繼之，永不止息，說出持續有恆是發展的關鍵。而從人類來說，任何事情的成功，都是由於先後很多代人的繼續發展，經歷了悠長的歲月和克服許多險阻，才能達成的。水的靜止並不是休息，而是積聚力量。因此當人類面對險難而不能繼續向前發展，並不是甚麼也不做而自暴自棄，只是暫時忍耐而靜止不動，不躁急於進取，而在這時是更積極地培養個人脫險的才能。水從來不會覺得險難是險難，因此險難也不成為險難了；人每因為覺得危險是危險，心中恐懼，行動因驚慌而失措，於是不危險也變成危險。因此要解除危險，首先就要面對它而不驚慌，冷靜去體察，就有如水，涓滴之水最初身在險阻之中，學習到如何在險中保存自己，這是消極的一面；積極的一面是身在險阻之中，找到出險之道，結果累積了無數次應付各種災難的辦法。最初在應付險難的時候，方法不周密，因此涓滴之水變成小河流，需要經過非常悠長的時間；但當熟習了各種解除險難的方法之後，遇到更大的險難，也能應付裕餘，履險如夷。第一個階段是謹慎小心，不畏危險；第二個階段是由於心神穩定，可以積聚應付險難的豐富知識；再進一步，不當險難是險難，將險難當成是磨煉自己、提升個人道德和才幹的最好工具。到了那時，大水就能形成像黃河長江一樣的大江大河。這是水值得讚揚的積極一面，但如從另一角度來看，水在發展期間，如它不破壞泥土沙石，就不會令平地變成河床或令丘陵陸沉海底，它本身雖是偉大，但在流經的地方造成許多生物的災難。因此水的正反作用，古人都深切了解，所以在創立《坎卦》的時候，同時採取水的好壞特性作為卦的主要哲學思想的根據。

古人在闡發《坎卦》義蘊的時候，首先體會到水是在地中流動的，地是靜止的，因此就用了兩個象徵靜止和大地的陰爻包圍一個象徵活動不休的陽爻作為水的卦象。本來水有了兩邊泥土的規限，才可成為河流。但泥土也阻礙了水流，抑制了水的活動範圍，因此《坎卦》兩陰包圍一陽象徵水陷於泥土之中，中間活動的水（陽爻）之所以災難重重，就是上下兩陰爻使它陷於其中的緣故。從水本身來說，它有崇高的德性和潤澤萬物的偉大功能；而從人來說，水是人類災難的來源之一。人總是站在人類的立場來立論，所以強調了水的災難性、危險性，以此作為這個卦表面立論的基礎。換言之，陰爻就是造成陽爻災難的原因，但易學原理之所以精深，在於能夠兼從正反兩面觀察事理，明白吉之中隱藏凶，壞孕育出好。柔爻固然造成剛爻的艱難險阻，但也同時造成自己更大的艱難險阻。用人類的道理來說，就是害人終歸害己。這點在人類社會來說，是非常有道理的，作奸犯科的人，因作惡就每與災難險阻感應連繫在一起，雖然取得短期利益，也會招致各種意想不到接踵而來的災難，例如因分贓不勻帶來的內鬨，或被同黨出賣等，最後身陷囹圄。因此《坎卦》的陰爻對陽爻造成災難，更造成對自己的更大的災難。所以《坎卦》的四個柔爻，初和上兩爻較凶險，三爻陷陽不多，不太壞，四爻輔助九五陽爻，反而得吉。可見古人在創立《坎卦》和分析卦爻吉凶之時，是從高級的哲理考慮、衡估得出的判斷。

現在再分析每爻吉或凶的原因：初爻為何「失道凶」？陰爻智昏才弱，平日已不易生存，險難之中更難生存，從這一點說，四個陰爻同樣都是智昏才弱，不能或不易脫險的。第二點，假使陰爻在陽位失正，它所作所為便可能不依正道而行，解除災難的可能性就減低，甚至適得其反，陷入危險之中。初爻和三爻同樣是陰爻在陽位，都是才弱失正，因此卦中六爻，以這兩爻最差。四與上爻是陰爻在陰位，得正，故原則上危險較初、三爻為少。第三點，從常識上說，水深之處較水淺之處危險，初爻是在重《坎》的底部，是水的最下，即是水底，那就是凶中之凶。所以從客觀條件來說，在深水的環境中，能出險的可能性就降低了。因此《坎卦》的下三爻較之上三爻凶險，原因是上卦的水可以流到下卦，而下卦的水是積聚不流動，變成深水，那就危險了。第四點，陰爻在陽位，才弱志剛，容易受到所處身的環境的鼓勵、引誘它行動，如本身具備才幹、地位、資財，方可利用這環境做事，如一應俱無，這環境只會是糖衣毒藥。因此初爻「習坎」，通過學習來累積知識，增進才能道德，那就能夠解決困難。但「初」是時間的剛開始，也代表年紀輕、略具知識、略有所「習」，本身沒有才華，如果自滿，就近乎狂妄無知，那不單不能脱險，反會蹈入更深的險境。這其實是躁動。所以它所「習」的其實是凶險之道，而不是進德修業、能藉以出險的正道，所以《小象傳》指出那是「失道凶也」。再加上陷人者必自陷，如帶有害人之心，就必會遭受相等的報應，所以初爻是最凶險的一爻。

第三爻是「來之坎坎，險且枕，入于坎窞」，它已不是在深水的水底，應該沒那麼凶險，為何仍與初爻一樣，入於凶險？原因同是躁動，不應動而動，必陷入最大的險難，當然才弱志剛，所行不正及躁動等都是它險難的原因，然而還有一點，下卦為河，上卦也為河，三、四爻剛好是在兩道河流的交匯處，在這處，水流必較單獨一條河流急湍，因此三爻所處的客觀環境更為危險，但為甚麼暫能安「枕」呢？原因是它陷人不算深，所以自己受害也較淺，因此如能抑制自己的躁動，「枕」着不動，看清楚形勢，等候時機，改變個人的心志，培養道德，努力地學習，遲早也會出險，起碼目前不會有凶險災害。

六三是下卦的上爻，上六是上卦的上爻，那豈不是上六一爻也會有相同的情況呢？但它卻說被囚三年才得到釋放，是凶險的。原因它本來也是才弱，但得正，雖然受到牢獄之災，但能悔改，改習正道，三年牢獄是象徵經過一段時間的困苦災難，最終可以脫險。本來在其他情況下，卦發展到最後有兩個可能性，在《坎卦》，一就是脫險，一就是被凶險吞噬，上爻正是面臨得救與否的關鍵時刻。為甚麼它不能即時脫險？因為它雖然得正，但仍是才弱，加上客觀環境太惡劣，是無法擺脫厄運的，所以上爻仍需接受三年牢獄之災。

那麼陰爻豈非全無脫險的機會了？不！六四陰爻便有脫險的機會，它處於陰位而得正，本來它也有意陷害九五，是給九五帶來災難的其中一個因素，但根據《易經》的「爻位說」，四爻象徵大臣，五爻是君主，在國家遭遇重重險難之時，君主和大臣就有合力挽救國家的責任。但六四是柔爻，雖然得正，但並沒有能力撥亂反正；而九五人君受到重重災難的困擾，同樣沒有能力解決困難。在這艱難困苦之時，美好的言辭、浮誇的行動是不實際的，做事應如祭祀時只採用簡樸、實際的儀式，誠懇恭敬的心態，所以臣子只應以實質的行動來表達對君主的忠誠，取得君主的信任。但要得到君主的信任或朋友的信任是不容易的，人人都有主觀、有成見，只接受自己認為是對的東西，不能接受相反的意見。所以要使君主明白、能接受的思想和措施，就是君主思想的「明處」（明白事理之處）；所説的道理，他不明白、不同意的，就是他思想的「暗處」。如想結納君主，就要從他的明處入手，一説他就會同意、接受，然後君臣才可真誠合作。六四爻辭所説的是譬喻，是説將禮品送到「牖」即光明之處與人結納，即是要從人能夠明白、能夠接受的思想和措施入手。其實處身危難之中，即使是不同種族、不同政見的人，也很容易同心合力去做事；相反，在平安幸福的時候，人人都會有不同的意見，想團結合一，便不是易事。因此在危難關頭君臣結合，並不需用甚麼花言巧語，只須切實地去做適當的事情，便可取得君主的信任、支持了。才弱的陰爻之所以能夠解除災難，就是主動用忠誠之心，改變他的心態去依附陽，得到陽的相應扶助，這是陰爻能夠出險的一個重要條件。在《坎卦》之後的《離卦》就闡釋解除危險災害，須懂得如何去「依附」，能夠依附正道，才是解除險難，拯救國家的關鍵之所在。

至於遭受險難而又能夠解除險難的卦中兩個陽爻又如何呢？九二是：「坎有險，求小得」；九五是：「坎不盈，衹既平，无咎」。它們一在下卦之中，一在上卦之中，它們的上下都被陰爻包圍。但有三點不同：一是時間先後的不同，二是地位高低的不同，三是九二失正，九五卻是既中且正，有得正失正的不同。這三點的不同，使到它們在解除險難的能力和所獲得的後果也有所不同。九二爻是在更深的水、更危險的境地中，九五爻則處於水淺的環境，危險程度也較低，所以九二不及九五好。加上九二得中不得正，能力自然不及既中且正的九五；更重要的是九二初次應付險難，經驗不足，而九五是再次或累次應付險難，經驗已豐，可能已懂得履險如夷的方法，同樣的危險便不會再成為災難。

古人在有限文字的《坎卦》中，解答了幾個問題：「處險」，身在險難中如何適應；「出險」，如何不再受到險難的威脅；「用險」，體會了天險、地險、人險，把自己所受的這些險難提升到哲學的高層次，變成保障國家和人民的措施，使人類不再受險難困擾，例如通過天險創立文化、政治、制度，維繫了人類社會和平幸福的合理發展；利用山川險阻保護自己國家的安全，不受外敵侵略；「防險」而利用了險的道理，就能做一些措施預防險難的產生。這四點其實也可總括為兩點，懂得處險之道，自然就能出險；懂得用險之道，就能防範未來的凶險，例如從前天花奪去人類大量的生命，因此天花是危險的，但自從懂得種殖牛痘，使危險的天花進入人體，使人體歷險而自我脱險之後，便可對天花產生免疫的作用，今天已沒有或只有極少數的人因染上天花而死亡的了。因此處險、出險只是一件事，用險、防險亦只是一件事。

有一點更為重要，為甚麼在險難之中不能出險？沒有外力援助是其關鍵，因此易學便以六爻無應來表示，無應便沒有外來的助力，在危難中若有人提供少許援助，有時已可脱險，《坎卦》是六爻都沒有應與援助，求救無門，單憑自己的力量，是難以脱險的。九五是例外，本來六四有意陷害九五，現在為了自己、為了對方，放棄了害人之心，反而與九五親比結合。九五本身已是陽剛有為，再加上六四的協助，增加不少出險的能力。九二之所以不受難險侵襲，是在沒有應與的時候，靠親比相助，九二之比是初爻和三爻，於是它和險難「妥協」，和兩個陷害它的陰爻協調相處，減低初爻和三爻對它的傷害，所以是「求小得」，但九二和初爻、三爻的比不是無條件、沒有原則、違背正道的，它對初爻和三爻親比，仍是用了正道。正是因為它守正，所以不會和邪惡沆瀣一氣，否則就會有危險了。它以合理的做法影響了陷害它的人，令害它的人不為已甚，結果可避免更大的災害，取得「小得」。初六不能協助九二的原因是初六失正，不可能提供甚麼好方法。所以九二是「求小得」，只應努力追求小小的得益，要從小得的積累，逐步解決問題，切勿心急或奢望一下子便可以完全脫離險難，不過「求小得」已是解決危機的一個重要作為。

水在源頭的時候，只是涓涓滴滴，面對大地的阻塞，本無反抗的餘地，但累積了無窮的水滴，衝破阻難，最終形成了江河湖泊。九二爻指示人類應效法水的這一種美德：第一，具備豪邁樂觀的「信心」，無視災禍，反而以它作為磨煉、提升個人知識道德才能的工具，在這個「求小得」的過程中，逐步強大自己，結果從原始人類的低能無知發展到足以應付大多數的險難。這種經驗今天的人是難以體會的，但在原始時代，人類渺小無助，能力有限，面對各種災難、危險和凶猛的動物，生命隨時遇上危險。另外，遇到大自然的洪水、地震、火災、疫癘、險峻山崖、浮沙爛沼等等所帶來的災難，原始人類更是一籌莫展的。但在很多人經歷險難之後，倖存的人累積了經驗，才慢慢懂得如何應付險難和避開險難。當時人類要改善生活的一切作為，向前發展的道路是吉是凶，是無法預知的，因為前路是「黑暗」看不清楚的，前進可能會跌入深淵、陷阱、浮沙等，但當人向前踏出一步，這一步就會給後繼者帶來了「光明」，累積人類無數試驗和失敗的結果，原本黑暗看不清楚的人生道路，變為光明，後來的人就可以踏着前人行過的路安全地走過去。正是因為前人一代又一代持續的努力，才將黑暗的人生道路變成光明，才使這世界由處處危險、災難，變成處處都是平安的樂土。我們要是不進取的話，就只能停留在前人發展的範圍裏面；但人類永遠不會滿足，因此會在現有的光明中，懷着豪邁之心，向着更遠大的黑暗不可知的目標前進。所以西方航海家聽聞遙遠的東方遍地黃金，就激發開發航道前往東方的雄心。海洋當時是最不可知、最危險的地方，但航道逐一開發，結果促進了全球貿易，開啟了現代文明，人類生活的富裕，超越古代。但這並不是止境，人類仍然會向前發展。哪種政制對人民較好，民主還是專制？仍需要研究探索，以前人的失敗或成功的經驗為未來的人類尋求幸福，就是「求小得」了。千萬不要因努力作為沒有完全脱險而輕視這「小得」，只要保持謙虛，盡自己的能力做好本份，從基礎一步步上進，終會取得成功。

至於九五：「坎不盈，祇既平，无咎」，其實仍沒有真正出險，只不過仿效了水的美德，在危險中仍努力前進，迎戰艱難困苦，暫時得到小息，沒有被艱難困苦吞噬。因此整個卦的六爻，其實都沒有真正脱離險境，似乎很令人氣餒。但從易學來説，通行本

《易經》第六十三卦是《既濟卦》，象徵每件事都發展到最圓滿、最幸福的境地，最後一卦，即第六十四卦是《未濟卦》，則事事無成，任何事情都需從頭開始，努力經營，象徵解決了一個問題，得到成功，似乎可以稍為休息；但緩過一口氣後，望望前路，有待解決的問題仍多不勝數，於是在有小成之後，又要為衝破更大的艱難險阻，以期到達另一個《既濟》，可是到了另一個《既濟》後，旋即又繼之以另一個《未濟》。人類就是這樣，一步步從低等的禽獸發展到高級的智慧生物。人類就有如水流般永無止境地向着理想的目標邁進。因此當你以為危險已經解除，其實是假象，甚至人從出生至死亡，無時無刻都是處身於危險之中，只不過沒睜開眼睛看清楚而已，例如愛滋病毒、沙士病毒、伊波拉病毒，都可在刹那間侵襲人類，又或者未來經濟會下滑，以致生活困苦？即使這些事不會發生，安坐家中或走在街上，也可能會橫禍飛來。人生就如水流，凡水流必經歷險難，人的一生其實正像《坎卦》所指示的一樣，永遠都在危險之中，人類進德修業就是為了迎戰險難，勇敢邁向理想的目的，只有最沒出息的人才會退縮不前。因此這個卦蘊含很高的哲理！另外更須知道所謂解決危險，只是暫時沒事，危險仍然存在，一如九二、九五兩爻所指示，所以我們要永恆不息地努力，努力的結果就是「習坎」，

「坎」是險難，學習在危險環境之中應付各種險難，就是宇宙、萬物、人生必經的過程。由於《彖傳》把「習」解作「重」（「習坎，重險也」），《大象傳》解為「洊至」（洊，再也，仍也），古代的註解家都認為《十翼》是孔子所作，尊重孔子，所以大都採用了「重」義作為解釋，只有王弼在繼承了《彖傳》、《大象傳》的說法後，更提升一級，認為應解作「便習之」，即熟悉險難之事。由於他沒跟隨《彖傳》的說法，他這個解釋為多數學者所不取，後來才有部份註解家認為它雖違背了《十翼》的說法，卻是卓越的見解，比原來解釋為「重」更有意義。一個人能夠重複習於險難才能脫險，如見到危險就退縮，總有一次無法逃避，就必然會被危險打倒，只有日日身處險難之中，雖然險難令他傷痕纍纍，最終卻可安然渡過。例如戰爭中，新兵上戰場偶有風吹草動，已舉槍慌亂掃射，但老兵面對子彈亂飛，卻冷靜不為所動，結果往往新兵喪命，老兵無恙，就是這個原因。《論語．泰伯》云：「死而後已」，《孟子》亦說：「生於憂患，死於安樂」，所以終我們的一生，都要奮鬥下去，以習於險、在險中進德修業不已、繼續邁進為目標。這就是《坎卦》所要教導我們的精義。

【第十講】離卦

䷝（離下離上）

《離》：利貞，亨；畜牝牛吉。

《彖》曰：《離》，麗也；日月麗乎天，百穀草木麗乎土。重明以麗乎正，乃化成天下；柔麗乎中正，故亨，是以「畜牝牛吉」也。

《象》曰：明兩作，《離》；大人以繼明照于四方。

初九，履錯然，敬之，无咎。

《象》曰：「履錯之敬」，以辟咎也。

六二，黃離，元吉。

《象》曰：「黃離元吉」，得中道也。

九三，日昃之《離》，不鼓缶而歌，則大耋之嗟，凶。

《象》曰：「日昃之《離》」，何可久也！

九四，突如其來如，焚如，死如，棄如。

《象》曰：「突如其來如」，无所容也。

六五，出涕沱若，戚嗟若，吉。

《象》曰：「六五之吉」，離王公也。

上九，王用出征，有嘉折首，獲匪其醜，无咎。

《象》曰：「王用出征」，以正邦也。

卦名闡釋

「離」即「麗」、附麗，即附着於事物。中國古代字義常會採用相反的意義，「臭」即是「香」（例如《繫辭上傳》：「同心之言，其臭如蘭」）；又如古代說周文王有「亂臣十人」（《論語·泰伯》），意即有十個治亂的大臣，「亂」即「治」。同理，「離」字本來的意義是分離，相反的意義即是依附。馬王堆出土的《帛書周易》，《離卦》寫作《羅卦》。「羅」即是網。《繫辭下傳》「觀象制器」章，提到古人發明了網羅來捕捉禽獸和魚類，靈感來自《離卦》，這些獵物捕獲時都是附着於羅網之上不能脱身，所以「離卦」可寫作「羅卦」，羅字亦有附着的意義。

《離卦》和《乾卦》有着特別密切的關係，猶如《坎卦》和《坤卦》一樣，指《離卦》是繼承了《乾卦》的性質和作用的一個卦。《説卦傳》提到離為日、為火，更説它是《乾卦》（後世有易學家認為《離卦》不應等同於《乾卦》，所以把這裏的《乾卦》讀作「乾卦」（「乾燥」的「乾」），這是根據三國時的虞翻註：「火、日熯燥物，故為乾卦也」，唐宋以後的註家多遵從這一説法）。

為甚麼《離卦》是日是火是光明之象？首先，可看看卦的符號，《離卦》的經卦和別卦的上、下兩經卦的上和下兩爻都是剛爻，中間是柔爻，象徵中間的柔爻依附着上下兩個剛爻，因此有附麗、附着之義。第二點，陽剛代表實，陰柔代表虛，《離卦》的中爻是柔爻，象徵中間是空虛的。古人認為空虛亮光才能透進來，於是就變得光明了，例如《坎卦》説在牆上開闢的「牖」（窗子），亮光進入，就是屋中的明處。既然這個卦中空，因此有光明的意思，所以《離卦》象徵光明。説到它的實體，經卦《離卦》上下兩爻是陽爻，陽象徵光明，所以是外面光明；中爻為陰爻，陰象徵黑暗，所以是中間陰暗。這類似火和太陽之象。凡是火光，中間部份是稍暗的，今天我們知道是由於中央氧氣較少，燃燒力低的緣故。另外，太陽中間有黑子，所以太陽中間較暗，因此古代「日」字寫作：

（金文）

神話說太陽中間有烏鴉，都是源於古人目測太陽中間有黑子所作的象徵性敘述。《離卦》的主要意義是依附，其次是光明，在敘述這兩種性質時，就用了實質的太陽（日麗於天）和火光（火麗於物）來說明。

《離》：利貞，亨；畜牝牛吉。

「《離》：」

指《離卦》。

「利貞，」

「利」是利於；「貞」是正固。《離卦》需要守持正道。

「亨；」

事情順利發展，引申是吉祥。

在《周易古經》中，「亨」多用作判斷詞，指事情得以順利發展；但亦有例外，如《坎卦》「維心亨」的「亨」字，指內心覺得所做事情是暢通發展、毫無阻滯的；實際是指《坎卦》在具體實質行動中間，碰到重重危險和阻滯，不能前進，但雖則身體不亨通，內心還是樂觀豪邁，信心十足，認為任何艱難險阻都是磨煉自己應付災難的機會，使自己道德、才智更能提升，更易達到理想，因此不單不討厭危險災難，更可視它為助力，有了這種想法，就可視危險如無物了。同樣，「亨」在《離卦》也不是判斷辭，而是內心精神思想的力量。要戰勝艱難困苦，就要提升精神意志的力量。人類就是有了這種豪邁、樂觀、勇敢的精神，最終能夠戰勝種種艱難困苦。到了今天，不是沒有災難，但比起原始人類，已大大減少減輕了。希望這種精神我們能夠持續而且加強，將來或後世到達無災無難的幸福境地！只是到了那時，恐怕幸福或會變成最大的災難！「福兮禍所伏，禍兮福所倚」，就是老子學習《周易》之後體會到的深刻哲理。

「畜牝牛吉。」

「畜」是養育；「牝」指雌性動物。在原始時代，人類對雌雄的觀念比較着重，商朝文字中已作出分辨，同一個字加上「匕」字偏旁的為雌性，加上「土」字偏旁的則為雄性；「牝」即指雌性。《尚書．牧誓篇》記載了周武王在牧野誓師所說的話：「牝雞司晨，維家之索」，紂王寵信妲己，後宮竟然操縱朝政，正好比母雞取代公雞在早上啼叫，那是家（古代家可以就是國）的最大的禍害。三千年前文字上分雌雄的做法，周代以後已不用了，但歐洲文字如法文、德文等今天尚在使用。整句是說畜養雌性的牛隻是吉祥的。

牛是比較馴善的動物，所以古代人類才能飼養它成為家畜；但公牛還有些牛脾氣，母牛就很馴善，而且是任勞任怨的。如要體會《離卦》附麗的意義，第一點，必須明白卦辭「利貞」之義，即不應未經詳細考慮是否合乎正道就貿然附麗；而在附麗之後，要持久；其次是還要實踐牝牛之德。「畜牝牛吉」是譬喻之辭，「畜」是要長久飼養，好像牝牛一樣，具備最順從、最能任勞任怨、默默耕耘（工作）的品德，那才合乎正道，便會有吉祥的後果。這是從人情立論的。但一個嚴格守持正道的人，在順從之時，仍會為了守正而未必肯與人妥協，故容易得罪人，失去附麗的意義，因此守正而能順從，就能略為糾正嚴謹守正的不足，令他既能守正，又能順從別人；或者在人類來說，就是外表圓滑、內心方正。反之，附麗雖是講服從，但如不講正道，上級叫你做不正當的事也服從去做，那就是毫無原則，近乎阿諛奉承，那就違背了附麗的正道。因此「順」必須出於「正」，才不會流於諂媚和不義。所以附麗有兩個關鍵原則，就是「正」和「順」，巧妙地處理兩者之間的關係，才是附麗最合理的做法，然後才有吉祥的後果。

《彖》曰：《離》，麗也；日月麗乎天，百穀草木麗乎土。重明以麗乎正，乃化成天下；柔麗乎中正，故亨，是以「畜牝牛吉」也。

「《彖》曰：」

《彖傳》解釋說。

「《離》，麗也；」

《離卦》的意義就是附麗，天道、地道須附麗，人道也應如此。

「日月麗乎天，」

日月附麗於天，於是它們的運行在天上形成一定的軌道，有一定的法則。日月本身已是光明的，依附着天空更能顯現它的光明。這是說天上的日月星辰附麗於天道。

「百穀草木麗乎土。」

「穀」是人類可食用的植物，一般稱為五穀，包括黍、稷、稻、麥、粟，引申為任何可以食用的植物，就稱為「百穀」，它們由幼小生長至成熟，一直要附麗着泥土才可生長、壯大。

漢魏之間的大學者王肅所註解的《周易》一書，今已佚失，但唐代尚存，所以唐初陸德明在撰寫《經典釋文》中的《周易》時參校了不同版本，還可讀到王肅的《周易》註解，他說王本「土」字作「地」字。根據《十翼》的寫作方式，天地並舉是常規，如用「地」字確實較為合理；但亦有人認為不用改，例如陳鼓應在《周易今註今譯》中就說，「土」字與下句「化成天下」的「下」字押韻（「下」字古音讀作「戶」）。當然古書常押韻，《周易》的文字很多時也是押韻的，為了押韻，就要用聲音相近而意義又相通的字，但如果押韻的話，整段文字都要用韻，但這段文字，其他句子最末一字與「土」字並不押韻，因此單就一字就用押韻作為理由，其實是有違中國古代的寫作規例。我個人雖然覺得今本「土」字不用改，但也認為王肅本作「地」字是有道理的。《繫辭上傳》內有一句：「安土敦乎仁」，而馬王堆帛書《周易》寫作「安地敦乎仁」，上句是「樂天知命」，可見「安地」較「安土」工整，那為甚麼通行本要用「土」字呢？我們就讓有心人細心探討罷！

「百穀草木麗乎土」是說地道。文中首先說天上的任何事物都附麗於天道，接着說地上的所有事物也都附麗於地道，因此人類也該不例外附麗於人道。所以接着說：

「重明以麗乎正，」

這句說的就是人道。「重」是重疊，因為《離卦》是純卦，即上下卦都是《離卦》，單卦《離卦》為明，重疊兩個經卦《離》所以是「重明」。它主要是說上卦，因為下卦是第一次明，上卦才是第二次明。所以「重明」一方面泛指《離卦》是明而又明的象徵意義，另一方面是說《離卦》從內卦的「明」發展到外卦，亦即最後，是「明而又明」，達到發展最理想的階段。「以」是憑藉、需要；「麗」是附麗；「正」是指爻位得正。「明」是指二、五兩爻，第五爻得中，但不得正，第二爻得中得正，所以「正」是指第二爻。六五不單用本身之明，還需要借助另一個明（六二之明），變成雙重的明，才能光明普照。換言之，上卦有「柔」和「中」之德，但缺乏「正」，要配合下卦之「正」才能達到卦的最高要求——附麗須具備「柔、中、正」三個要求。請細心體會《彖傳》在這裏將卦辭作了深入而細緻的闡釋。

「乃化成天下；」

「化成」即化民成俗，「化」是暗中誘導，做一些事令人受到環境、輿論乃至別人等的影響而無形中改變，例如時裝，某個明星開風氣之先，在新影片中穿上新式服裝，如她的演技出色，新裝悦目，就可登時風靡全球，令所有女性都趨之若鶩。這不必以強力手段便能達致的。教育也一樣，有強迫的一面，也有無形感化的一面。「化成天下」就是用了廣義上的教化形成風俗，是文化、政治、教育等等配合才能產生的，使人民通過「重明」的教導，形成美好的風俗習慣和做人的合理的思想和行為。

「化成天下」亦見於《賁卦．彖傳》。六十四卦中的《賁卦》，下離上艮，卦象是山下有火，象徵火光把山照得清清楚楚，看到山上的草木呈現美麗的形態，這象徵了文明。《賁．彖傳》說「文明以止」和「觀乎天文，以察時變，觀乎人文，以化成天下。」《艮卦》為山，山的德性是止，「止」字指山，「文明」就是指《離卦》。為甚麼《離卦》有文明之象？所謂「文」，是兩種或兩種以上不同顏色的事物巧妙地交錯連繫在一起，就像織布機上不同顏色的絲線縱橫組成圖案或花紋，那就是「文」。星辰在天上的運行軌道互相交錯，形成美麗的相交紋理，叫做「天文」；大地上山川河流植物的縱橫交錯，所形成的圖案或美麗的景物，就叫做「地文」；人類通過人為的努力，形成的教育、政治、社會制度和文學、藝術、科學（廣義的）等等的文明、文化，便是「人文」。通過《賁卦》，細心體察人類所建立的合理政治制度、文化習俗等，就可以利用它使天下人到達幸福的境地。「人文化成」，簡稱就是「文化」。今天「文化」和「文明」兩個詞對應英語的culture和civilization，源於日本「明治維新」時期日本人根據《彖傳》的翻譯。《離卦》卦爻兩陽爻中夾一陰爻，象徵兩個相反的事物連繫在一起，等於縱橫交錯的絲織品，這就是「文明」，故凡是陰爻陽爻上下連繫在一起就叫做「文」。但連繫有適當或不適當，效果有美有醜，只有做到整齊、合理的，才叫做「文」。《離卦》的陰陽縱橫交錯是適當的，因此有「文」的意義。《離卦》本身是明，所以便兼有「文」和「明」兩義。六十四卦中，其他和經卦《離卦》結合的卦，也往往有文明之義，例如《大有卦》或《同人卦》，尤其是《同人卦》說得更好，這個卦是說人類如何達到大同世界。其實能達到小康已很偉大，所以它說做到「同人」是很難的，縱有《離卦》的文明也難做到，最後通過戰爭才達到大同。

「柔麗乎中正，」

「柔」是柔爻，即陰爻；「麗」是附麗；中正，既中且正。在《離卦》中，柔爻既中且正的，只有六二一爻，所以它指的是下卦具備了柔爻附麗中正的性質。

「故亨，」

所以做任何事情都是亨通、吉利的。

「是以『畜牝牛吉』也。」

體會六二的全部德性——柔、中、正，令自己也具備母牛順從、任勞任怨、守持正道的德性，才能達成《離卦》卦辭「畜牝牛吉」的要求。這裏一開始就說出《離卦》的幾個要點。為甚麼有「牝牛」之象呢？首先，《乾卦》為馬，《坤卦》為牛。《離卦》是《坤卦》的中爻與《乾卦》的結合，亦即陰陽的結合，結果《乾卦》變為《離卦》，《離卦》中爻因此最具備《坤卦》的特性，《坤》、《離》兩卦關係密切，可說是母子的關係。從易學的陰陽來說，陽尊陰卑，君父為陽，臣子為陰，父母為陽，子女為陰，所以當《坤卦》為牛，《離卦》就是母牛（《離卦》屬陰，亦是母牛的原因）。

《彖傳》說出宇宙間萬事萬物都有互相依存、互相推動、互相感應的關係，彼此息息相關。在過程中，有主從，即有領導者，亦有追隨者協助，推動宇宙人生某項工作，因此整個宇宙中的任何現象都不能脫離依存互助的關係，人類社會當然也不能脫離這種關係。《周易》的《比卦》和《離卦》就是說依存關係的。《比卦》是五陰一陽，一陽成為五陰的主宰，五陰都主動地依附一陽、協助它；《離卦》亦是說附麗的關係。但兩卦的性質不同，《比卦》以人我關係來說，是人來輔助我，我為主，其他的五柔爻是追隨者；《離卦》剛好相反，是我去依附他人。依附有兩種形式，一是人依附你，一是你依附人，這兩種形式在人生中經常出現，甚至同時出現，依附者和被依附者的關係並不是絕對的。易學不是講絕對，而是講相反相成，當我去依附人的同時，亦有人依附我，所以《離卦》雖講我去依附人，但發展到了上爻，就剛好相反，是人依附我。

這種依存關係在人類來說可以廣泛引申，例如我們要依存一個地方定居，一定要擁有國籍，一個沒有國籍的人是很痛苦的，大有可能變成沒有國家收留的人球，是人中的非人；另外人依存的是時代，人必會受到他生活那時代的風氣、思想的影響。所以依存涉及環境、國家、文化習俗、你所從事的事、你所跟隨的人等等。說到「依存」，今天的人多會想到：我是否因此喪失我的自由和人格？假使依存中只有「順」、沒有「正」的話，那就只會導致盲從。以民主自由為例，假使在信奉民主自由偉大的同時，又能了解民主自由的壞處而能作出適當調整，建立一種較民主自由更合理的制度，那才是人類之福！這就是「順」中有「正」。

人類其實能否有獨立人格呢？嚴格來説是沒有的。人生根本沒有自由，首先沒有出生的自由，最後也未必有死亡的自由。在時間上，人是奴隸，只能順着它的推移過日子，而不能在其中穿梭。在空間上，人也不能隨意遷徙，在今天，絕大多數國家也必須有簽證才能入境。在思想上，你許多自以為獨立的想法其實承襲自前人，或受到前人的影響而形成的。在任何一個時代，都有它認為甚麼才是合理的想法和做法，但部份在後世卻認為是不合理的想法和做法，讀讀歷史便可見古人思想上常有「錯誤的價值觀、人生觀」。例如在西方有段時間人類認為音樂非常偉大，是偉大的世界語言，能表達語言文字所不能表達的思想、事物。但其實音樂所表達的喜怒哀樂情緒，很多都是人類的假設，以中西音樂相比較，藉音樂表達的喜怒哀樂的方法即已明顯不同。在西方，學習音樂是身份的象徵，小孩從小就須學習，所以這是一種思想上的「迷惑、迷思」。又例如近年來平庸的書畫價格在市場上炒至天高，而學者的著作一錢不值，何者對人類更有貢獻呢？這是對學術、知識多麼大的諷刺！這也是學術上的「迷思」。這些現象在當時被視為真理，在後世卻成為笑譚，我且稱之為「迷思」。

依存關係除了「順」、「正」之外，還要加上「中」，即合理的對待態度，來糾正時代的「迷思」，盡量發揮人類一直保持的最合理的人生思想和作為，這就是《離卦》要講的內容。而為了個人的名、利、情，而扭曲人格和是非觀念去順從，那才是人格的喪失。《離卦》主張的依存不是教人喪失人格，而是教導我們提升人格的合理做法。

《象》曰：明兩作，《離》；大人以繼明照于四方。

「《象》曰：明兩作，《離》；」

《大象傳》解釋說：「兩」是指再次；「作」是興起；整句是說光明一次又一次持續產生，是《離卦》光明的特徵。本來《離卦》所說的是附麗，《大象傳》這裏卻不講附麗，而是着重發揮「明」的意義。光明如是短暫出現，很快就會消失；地球之有光明，是由於日間有太陽，夜間有月亮發出的光輝接替，自然界的光明通過日月的交替而呈現。在人類，光明象徵聰明智慧、文化、政制，人類的文化是後人繼承前人，令文化得以承傳，而且還要進一步，令到它提升發展，然後人間的光明才可持續。由此可見，《大象傳》與《彖傳》的觀點不同，但在哲理上卻是互補不足的。

「大人以繼明照于四方。」

《大象傳》往往用「先王」、「后」、「君子」等應體會這道理，根據這道理來進德、施政，「大人」較少用。「大人」一是指具備最高智慧和道德的人，例如孔子；一是指聖帝賢君，例如堯、舜、周文王、周武王。所以無權無勢如孔子也可稱為「大人」，自然堯舜也是「大人」，他們不單是君主，更是具備了最高道德和智慧的聖帝賢君或聖人。柏拉圖的《理想國》曾說，哲學家為君主是最理想的政治制度，哲學家而為君主的就是「大人」。又因為《離卦》是象徵太陽的，《乾．文言傳》說：「夫大人者，與天地合其德，與日月合其明，與四時合其序，與鬼神合其吉凶。」因此這大人能夠合一天人，同時控制着天地人，在上承繼天道，在下控制地道，中間管理人道（萬民）。這句的「大人」就是說「與日月合其明」的「大入」，所以用「大人」二字，用字很精密準確。「以」是根據，憑着這「明兩作」的自然現象而在人間實行「繼明」。身為大人，體會到日月對地球萬物的恩惠，秉持光明峻偉之德持續朗照四方，使萬民受惠，就如日月一樣照臨大地，令生活於其上的人類、飛、潛、動、植、萬物都受到大人的恩惠。

大人固然不是普通人，但我們普通人亦可努力去做大人同樣的工作，即如《大學》所說：「大學之道，在明明德。」令到「明德」明而又明，就是這裏所說的「繼明之學」。後明繼前明，人類的文化代代繼承向前發展，結果人類在這五、六千年從野蠻發展到文明的過程中，終於有了幸福的生活。但話得說回來，今天科技文明太發達了，使年輕人過份重視科技的成果，忽略了五千多年以來辛辛苦苦建立的文明、文化，甚至鄙視它、揚棄它，所以今天人類的幸福大部份只是建築在物質幸福之上，而中國古代的文明則大部份是建築在精神幸福之上。蔑視了古代文化，雖則物質享受極其豐足，但心靈就會空虛。西方有識之士已為此非常憂慮，我們也應響起警鐘！

初九，履錯然，敬之，无咎。

「初九，」

「初」指爻位最下，「九」指它是陽爻。

「履錯然，」

「履」本指鞋子，引申為走路，進一步指「踐履」，即身體有所作為；「錯」字古今有很不同的解釋，其中三個較合理。第一個從交錯之義引申，解作文飾，指《離卦》陰陽爻的交錯形成文彩、文明；第二個指初爻是陽，二爻是陰，三爻是陽，形成陰陽交替之序，所以是錯落，指在行動變化中，交替有條理地發展；第三個讀如「差錯」之「錯」，「錯然」是很多事物一同發生，形成混亂的情況。其實這三個不同的意義，都包括在初九爻辭「錯然」裏面。所以須總括這三個字義，才能把它的義蘊完全表達。

「履錯然」可從兩方面去體會，第一，《離卦》象徵太陽，因此初爻象徵太陽初昇，二爻象徵日麗中天，三爻象徵落日西沉。初爻是太陽初昇，是人們從睡眠靜止中醒過來，開始一天的活動的時刻。初九是陽，附麗於六二陰爻，以人事作比喻，等於年輕人初出來做事，上司對你不熟識，不了解你的為人和能力，你就急於和上司親近，實現你心中的理想大計，上司信任你，還是被你嚇怕呢？再引申，初爻指整個宇宙剛開始運動，呈現萬物都在活動之中的景象，有很多事情都要處理，這是「錯然」的狀態。在這狀態下，會不會因此眼花繚亂，同時處理許多事情而忙中有錯？或者最初親附人表現得太積極有為，為同事所妒忌，上司也怕了你？如果是這樣的親附方法就錯了。

「敬之，无咎。」

「敬」是謹慎小心、嚴肅認真地處理自己的工作或親附，那就會「无咎」。這個卦是說「離明之學」，即附麗光明之學。《離卦》所說的光明，最主要須具備了「敬」。心中有「敬」就定必能順從人，例如尊敬孔子，就會跟着他的教誨去行事，所以「敬」包含了合理的順從。單是順從會變成無知、阿諛、盲從，但因敬而服從則是基於對某項真理的信服，就會跟隨這正道來做事，這正道指人生高級的哲學、宇宙的規律，那就不會有過錯。

在《離卦》光明的時代，人最易變得自以為是，而急躁行動。尤其它是初爻，年紀輕、經驗淺、地位低，要去附麗人，就會貿然輕率行事，結果必招致失敗，所以「履錯然」，就一定出問題。糾正「履錯然」，就要用「敬」，那就能虛心接受別人意見，這是一種高級的順，於是就不會急於進取，進德修業從基本做起，並先做好本份的工作，那就「无咎」。「无咎」是本來有錯，如不懂得敬，就會釀成大錯，懂得「敬」，就可糾正變為沒有過錯。

《象》曰：「履錯之敬」，以辟咎也。

《小象傳》解釋這爻辭說，當你在繁複交錯的人和事件中間去實踐附麗的時候，能夠具備「敬」作為指導和實踐的原則，就能「以辟咎也」。「以」是憑藉；「辟」古代和「避」字相通；「咎」是過錯；憑藉敬慎之心就可以避免犯上過錯。這一爻本來有錯，懂得「敬」就會變成沒有過錯。中國學問很多時候最着重開宗明義，所以中國傳統學問最注重基礎功夫，基礎工夫做得好將來才會有成就。西方學問也注重基礎，但沒有中國那麼強調。所以《周易》最注重「初」，最初就叫做「幾」（機），指事情未發生而將要發生的那一刻。很多時候，初爻就是暗中指導整個卦所應注重或注意的事。在這裏，它指出「離明之學」最重要的就是「敬」，「敬」提升就是「誠」或「信」。不止初爻要敬，「敬」貫徹於整個卦的各爻，甚至是在它結束之後。

六二，黃離，元吉。

「六二，」

「六」指它是陰爻，「二」指由下往上數處身第二爻位。

「黃離，元吉。」

這段爻辭有點奇怪。「黃」是青、赤、黃、白、黑五色之一，處於五色中心，因此黃色象徵「中」。古人可能對黃色有偏好，不單認為黃色美麗，更認為它是吉祥的。其次，《離卦》的中爻來自《坤卦》的中爻，《坤卦》中爻具備《坤卦》的一切德性，坤是大地，在北方是黃土高原，因此「黃」字隱寓它具備了《坤卦》的土德。《坤卦》六二爻辭：「直，方，大，不習无不利。」《坤文言》解釋說，六二具備了內外美好的德性。因此「黃」暗中指這爻具備了「中」一切美好的性質或人類的德性。「離」一方面指卦名，另一方面指《離卦》依附的性質；「黃離」即是說六二爻能依附、順從，實踐《坤卦》六二各種美好的德性，因此得到「元吉」的後果。「元吉」是最大的吉，它與大吉表面上相同，實際上還有少許分別。分別是「元」是開始，可以持續發展到最大，「大」則現在一開始就是這樣，因此「元吉」的開始是沒有大吉那麼好，長遠來說，它可以無限發展，大吉則受時間限制，只能持續幾天、幾個月或幾年之類。

《象》曰：「黃離元吉」，得中道也。

《小象傳》解釋爻辭說：「元吉」的原因是合乎「中道」。以前說過「中」包含了「正」，「正」卻不一定包含了「中」，因此「中」較「正」好。六二是柔爻在陰位，得中得正；所以陰爻在六個爻位中，六二是最好的，它擁有陰最美好的德性而沒有它邪惡的一面，因此處理事情能適中妥當。《離卦》附麗的三大條件：柔、中、正，六二都具備了，於是有「元吉」的判斷辭。

另外，《坤卦》六五說「黃裳元吉」，為甚麼《離卦》六五沒說呢？從更高層次來說，整個《坤卦》都是說要順從乾陽，乾為君，坤為臣，所以整個《坤卦》為臣，甚至六五在其他卦是君位，而在《坤卦》也例外地是臣位，指身為人臣要達到「黃裳元吉」，才是最理想的做法。但《離卦》要服從易學規例，不是如《坤卦》般有特例，易學規例是二爻為臣位，五爻是君位，如「柔中正」在君位，就不會是偉大的君主，但如落在臣位，他就會是偉大的臣子。「黃離元吉」或「黃裳元吉」都是説附麗於人，是臣道。根據卦的更重要規律，於是《離卦》的「黃離元吉」就改為出現在六二而不在六五了。

九三，日昃之《離》，不鼓缶而歌，則大耋之嗟，凶。

「九三，」

「九」指它是陽爻，「三」指由下往上數處身第三爻位。

「日昃之《離》，」

「日」是太陽；太陽過了天的中央就是「昃」，即太陽西斜；《離卦》九三爻已發展到如太陽那樣已向西傾斜，但仍然留戀依附在天空上。

「不鼓缶而歌，」

「不」，因為配合下句的「則」字，「不」字有「假使不」之義；「鼓」是敲擊；「缶」是瓦造的甕，中空，敲擊時發出聲響，可用作伴奏的樂器。春秋戰國之時，秦人最喜歡拍打着瓦缶歌唱，是當地的風俗習慣。這個傳統可能源自西周初年，因為秦國所佔領的關中之地就包括了西周的首都等地。

「則大耋（音秩）之嗟，凶。」

「則」，配合上句「不」字，「則」字有「就會有」之義；「耋」指年歲七、八十，甚至有人說指九十歲，引申指年紀非常老。古代亦有非常長壽的人，平均壽命短是由於嬰兒的死亡率高、流行疫症肆虐、生存環境險峻、戰爭頻繁，再加上營養不良、居所衛生惡劣所致，但個別活到八、九十歲的例子亦非稀有，一百歲也是平常事。「嗟」是慨嘆。至於「凶」字，王肅本是沒有的，但後世的各種版本都有，有或沒有於是造成意義的不同。

這句的意義不易解釋。如是沒有「凶」字的版本，整句是說太陽西斜後，仍依戀停留在天空，希望遲一些才走完一天的旅程。老年人見到這天象，觸景生情，知道自己年紀老邁，快要走到人生盡頭。在這情況下，有兩種不同的心情，一是明瞭達生之道的，會唱歌作樂，好好地度過晚年；另一是因為已經七、八十歲，面臨死亡的憂慮，因而發出慨嘆的聲音。如是有「凶」字的版本，是說在晚年拍打着瓦缶而歌，並不快樂，如快樂也是麻醉自己；或面對死亡而恐懼、慨嘆、悲傷。兩種態度一是麻醉自己，一是不能達觀，都是不能適當處理、面對老年的問題，所以判斷辭都是「凶」。那如何自我人為解救九三的「凶」呢？站在道家的立場，《莊子．養生主》記載老子去世的一段文字，很有代表性：秦佚去弔老子之喪，號叫了三聲就離開了，老子的弟子認為如此對待故友，於情份有缺，秦佚回答說：「昔來，夫子時也；昔去，夫子順也，安時而處順，憂樂不能入也，古者謂是帝之懸解」（該來時，尊敬的老師適應時機降生人世；該去時，老師順從命理的安排而死。安心適時而順應變化的規律，哀樂的情緒便不會侵襲心中，古時稱呼這種死亡為解除倒懸之苦）。所以在有生之年，要做合乎正道的事情，完成一生人的責任；當我們面對死亡，我們也要順從命運的安排，從容迎接死亡，不必為此悲傷，世俗的憂樂跟莊子或道家所說的憂樂是不同的。身為道家信徒，是不應有樂生惡死之心的，既然不恐懼或討厭死亡，因此保持平常、沒有悲哀的心態，才算是秉持道家的思想。

後來的儒家把這句話改了一字，說「安常處順」，「常」即永恆不變的真理。儒家崇尚進德修業，並為增進人類未來的幸福而盡自己能盡的努力，力量無論是卑微或偉大，盡了一己之力為人類未來着想，那就是「安常」，安心於守持儒家真理；「順」是順從宇宙規律。儒家講的天地人三道，其實是合為一道的，人道追隨天道，因此「處順」文義上是順從自然之道，其實即是順從儒家建立的人倫之道。如將這句話解碼，孔子有段說話最值得我們參考。當時的人問孔子的弟子，你們的老師是個怎樣的人，他們不懂得回答，轉告孔子。孔子就說：「其為人也，發奮忘食，樂以忘憂，不知老之將至（為了追求進德修業，盡了最大的努力，忘記進食，在進德修業過程中，得到最大的快樂，把憂慮全忘了，從來不察覺自己年華老去）」，這就是儒家到了老年的正確心態。年紀大了，大可以檢討自己平生有甚麼遺憾，有甚麼想要做的而尚沒有做，應趁着現在仍有的機會努力去做；或者想想前人做了那麼多的事讓我們享受幸福的生活，我們在有生之年，雖然地位卑微，也可略盡綿力去幫助少數人，天天去做一些有意義的事，那就不至於生存只是為了等待死亡。

三爻是太陽西沉，象徵人生到了後期，其實「夕陽無限好」，是太陽最光輝燦爛的時候，可以好好利用這時刻，發展自己未完成的理想或事業！

《象》曰：「日昃之《離》」，何可久也！

《小象傳》解釋說：九三爻辭指出太陽已經西斜，時間不多了，須及時進德修業啊！這個卦到了這爻，要配合卦的主題「繼明」——繼承前人之明，再承傳至下一代。從人類最關鍵的事來說，就是要找尋賢德之人，將未完成的治國理想交託給他，繼續發展，這就是九三的當前急務。所以孟子在《孟子．滕文公上》曾說：「堯以不得舜為己憂（堯帝最擔憂的事情就是找不到如舜般賢明的人來繼任）。」幸好他找到舜，將治理國家的合理制度流傳下去，令到未來的人類繼續在良好的政治下生活。接着一句是：「舜以不得禹、皋陶為己憂（到了舜帝做君主的時候，如找不到大禹、皋陶這類賢人作為接班人，就是最擔憂的事）。」九三就是說「求賢以繼」的這種心態。第一件事是完成自己的責任，第二件事是找接班人。縱使是一般的人，亦應有此心態，將自己能盡力須持續之事，交給適當的後人續承。

九四，突如其來如，焚如，死如，棄如。

「九四，」

「九」指它是陽爻，「四」指由下往上數處身第四爻位。

「突如其來如，焚如，死如，棄如。」

「突如其來如」是突然之間很快就到來，不是慢慢增加的；「焚如」，產生焚燒的作用；「死如」，因焚燒而死亡；「棄如」，死亡之後棄去。這究竟是甚麼意義呢？它有兩個象徵意義：第一，《離卦》下卦是太陽，上卦是另一個太陽，三爻是日落之時，四爻是太陽再次初昇之時，這時天空低處呈現火紅色，朝霞就像在昏暗的天色下忽然湧起，好像巨大的火焰燃燒起來，所以說是「突如其來如」；但紅色朝霞很快就會消散，所以是「死如」；消散不存在之後，就是「棄如」。所以第一個象徵可說是描繪朝陽初昇時霞彩之狀。第二可以指是火焰，《離》為日，也是火，所謂「薪盡火傳」（《莊子．養生主》），火一定要依附某些物質才能存在，在古代是依附木或炭才能發揮光和熱，在柴炭燒成灰燼之前，將火傳給第二塊柴炭，火就可繼續燃燒下去。中國古代保留了一個遠古時代遺留下來的習俗——維持火種不滅，為此國家有負責保存火種的官吏，根據春、夏、長夏、秋、冬不同季節，用不同樹木為柴炭，令到燃燒的火延續下去。這是由於原始時代的人類不懂人工造火，須藉雷電劈擊樹木生火等而取得火，用以取暖、熟食、嚇走野獸。後來雖然不再需要利用這種自然方法取火了，但為了尊重古文化，仍承繼了「薪盡火傳」的習俗。這卦象徵下卦結束後，光明和火焰就要由上卦延續下去。本來當上卦延續光明或火光的時候，不應猛烈，而應採用溫養方式，這時它的力量微弱，很易熄滅，所以要很謹慎小心保護它，這就是「溫養」，這樣光明和火光才能保存。但九四的做法剛好相反，急於進取，一下子就想日麗中天（「突如其來如」），很快便用盡了自己的能量，出現「焚如」的景象，那當然很快就「死如」了，之後變成灰燼，被風一吹，消失得不知所終，那就是「棄如」了。

《象》曰：「突如其來如」，无所容也。

《小象傳》解釋說：九四爻辭所描繪的情況，是沒有人會支持它、讚許它（「无所容也」）。配合卦象來說，第四爻是陽爻，繼承了第三爻陽光之爻而繼續發展。第三爻雖不得中，起碼得正，因此雖有「日昃之《離》」不大好的判斷辭，畢竟是小問題，還不算是凶險。九四陽爻在陰位，本身材質剛而且明，但環境陰柔，使它思想行為不正，因此只發揮了它剛明急躁的一面，急於附麗六五。以人事譬喻，第四爻是宰輔大臣，第五爻是君主，現在宰輔大臣以驕橫剛強的態度和做法逼近人君，違背了臣道，一定得不到人民的支持，所以後援力量不足，因此他如企圖全面改變國家既有的政策，做法陽剛過份、過急，不懂得在繼承舊有政策的同時逐漸改良，所以是「焚如」，結果必是「死如、棄如」，為其他群臣所棄（「无所容也」）。因此這種後明繼前明的方法是不可取的，會失去民心。整個卦以這爻最為凶險，就是因為它忘記了這卦初爻所說的離明的原則——「畜牝牛吉」，須柔順、守正道、任勞任怨，九四的態度不是順從，而是專擅、胡作非為。雖然爻辭沒有說凶，較之九三是凶險得多了。

九四是卦中最凶險的一爻，原因很多，最關鍵的是因位置不正而產生凶險，因為這卦上下卦都是《離卦》，可稱為「重明」或「重日」或「重焰」，九四是後明接前明、後火接前火的位置，也是下卦飛躍升到上卦的關鍵位置。在這個上下飛躍或繼承的過程中，需應付自己以前不了解、不習慣的事物，又或者自己未有那種才能、知識去應付更上一層的工作，所以應有計劃地穩步上升才對；但由於《離卦》是太陽或火，火會迅速燃燒的這種性質藉九四剛爻反映出來，在繼承中間顯現出步伐太過急遽，甚至引申為大量改變從前的陳規，採用了嶄新的方法。當然《離卦》主要是講政治，但亦可引申至包括個人的進德修業或不同層次的各種事物，太急於進取的改革就會造成災害。第二點，孔子曾經特別讚揚具備剛德的人，認為人「無欲則剛」（沒有個人的私慾，然後才能有剛正的美德）。因此如要說「剛」德是儒家所推許的話，首先要具備「正」的美德，也即是《離卦》所說「柔中正」的「正」。九四不中不正，所以它的「剛」近於剛暴，可能犯上作亂，現在引申為以它的剛暴依附六五的柔弱，象徵權臣威迫在上柔弱的君主，違背了應有的臣道，從儒家或易學的觀點來說是不合理的。當然剛柔是相反的，所以它就違背了《離卦》所說「依附」須具備「柔中正」這三個條件，因而便有「焚如，死如，棄如」的後果。

六五，出涕沱若，戚嗟若，吉。

「六五，」

「六」指它是陰爻，「五」指由下往上數處身第五爻位。

「出涕沱若，」

「涕」在古代字義指眼淚，後來才指鼻涕；「沱」形容水流之多；「若」是個後綴詞，意思是「如此」。整句是說淚流不止，象徵悲傷到極點。這種悲傷跟普通人的悲傷不同，是基於身在五位受到在下九四爻的威脅所產生的憂慮而來的。以前說過，「乘剛」是不好的，六五現在正是乘剛，國家和個人的命運都受到在下者的威脅，它的憂慮形於顏色，以淚流不止反映出來。

「戚嗟若，」

「戚」是憂戚，不單憂慮，更有恐懼之意；「嗟」是慨嘆的聲音；「若」，如此。這句描繪他的恐懼憂慮不單存於內心，更形於聲音，可見是憂慮極深了。

「吉。」

上文兩句所形容的是不安狀態，為甚麼反有「吉」的判斷呢？第一點，它在五位，得中，做事適當，想法適當，思想行為道德都合乎中道，即使不能大吉大利，起碼也不會有災禍；第二點，《離卦》象徵文明，陰陽爻巧妙的結合叫「文」，《離卦》兩陽一陰，陰爻空虛，象徵光明進入，因此是文明，象徵具備聰明智慧，會有合理的發展。身在文明之位，受到這位置的良好影響，象徵這人具備文明的美德，於是無論處身不幸或幸福的環境，都能運用人類的文明、文化、知識來指導自己做事，自然就能化禍為福。他之產生恐懼憂慮，關鍵是八純卦完全無應，他得不到六二的幫助（同是柔爻，是敵應，即沒有應與），只能依賴親比的助力，本來九四和上九都是他所親比、依附的對象，現在不單不能附麗九四，九四還危害它，這是造成他恐懼憂慮的原因。他之所以能夠依靠自力化禍為福，是因為他處於「五」這個主宰全卦的位置上，時常恐懼憂慮國家未來的前途，結果他通過《離卦》文明柔中的各種做法，暗中慢慢解除了一切危機，這種做法古代稱為「多難興邦，殷憂啟聖」；或者我們用另外一種說法：「天將降大任於斯人也，必先勞其筋骨，餓其體膚」，才能「增益其所不能」（《孟子》），發揮他最大的知識才幹，成為未來的偉人。因此幼年多一些小挫敗或小災難、多些磨煉，對於激發一個人未來聰明才智的發展是很有幫助的。這一爻如是指君主，是說無論在任何幸福的時代，能夠居安思危、謹慎小心處理政治事務，就一定能化禍為福，得到吉利的結果。引申亦可應用於一般人。

《象》曰：「六五之吉」，離王公也。

《小象傳》解釋六五一爻之所以「吉」利，是由於依附（「離」）「王公」的緣故，「王公」指六五。初爻與上爻無位，初爻是尚沒有甚麼身份地位的元士，二爻是大夫，三爻是三公，四爻是宰輔，五爻是天子，六爻是天子的宗廟，這是漢代京房易學所說的

「五行六位」中的「六位」。五爻象徵六位中地位最高的人，這裏明文確指「王公」，「王」是天子，「公」是公侯伯子男、即諸侯國家的君主，因此「王公」連稱，說明五位原則上是天子之位，亦可指諸侯國家的君主，今天更可引申指大機構的總裁等，因《易經》是可以因應不同的情況來定出不同層次的。

五爻因它的本身位置，故能化禍為福（「吉」）。這裏顯示了易學理論「時」和「位」的重要性，「位」暗中反映了「時」，「時」亦暗中包括了「位」；五爻在上卦之中，而且是柔爻，因此具備了柔中的美德。為甚麼《離卦》的二、五爻特別好呢？因為二爻得中得正。《乾》、《坤》之外，其他六十二卦的陰陽爻跟《乾》、《坤》同一爻位的陰陽爻性質其實是類似的，只不過環境不同、時機不同，卦義不同，就暗中改變了它的本性，或抑制了它的本性，我們如徹底掌握了《乾》、《坤》六個陽爻或陰爻的性質，以它的禍福吉凶比對其他六十二卦同一爻位的陰陽爻，就比較容易明白「位」（環境等）和「時」對本性所能造成的影響，就可對易學有更深入的了解。例如六二爻，細心讀讀《坤卦》爻辭和《坤文言》，可見它具備了直、方、敬、義這幾種美德，本身是「不習无不利」，它順從《乾》陽，因此具備「直方大」的美德；《離卦》二爻同樣具備了這些美德，所以也就有了人臣或依附者最高的美德，爻辭於是出現「黃離元吉」的判斷辭。《離卦》下卦初、三為陽，二為陰，三爻均得正；相反，上卦四、五、上三爻陽爻在陰位、陰爻在陽位、全不得正，正因為這原因，六二依附初九和九三，具備了「柔中正」的做法；相反，上卦三爻都不得正，六五雖同樣在中位，就沒有六二那麼好了。但這爻在《坤卦》是「黃裳元吉」，具備「美在其中，暢於四支，發於事業」的好處（見《坤文言》），所以雖然《離卦》五爻因外界環境惡劣令它的美德不能暢順發展，在受到抑制之餘（身在尊位），仍在暗中實踐「黃裳元吉」的美德（具備明德），表面上憂慮恐懼（居安思危），具備了三種長處，所以「多難興邦」；相反，「無敵國外患者，國恆亡」（《孟子．告子下》）。

遠古新君繼承帝位，多要發動正義之師，原因是古代國外敵人林立，自己國家的和平安定，會使到在上的統治階層、在下普通民眾鬆懈，荒疏了武備。單講道德文化在古代是不能生存的，因此凡是繼承之君，要特別注意武備，使一代承平已久、忘記災難的鬆懈心態重新整合，藉發動正義的小戰爭來提高自己國家國民的軍事實力，國家才能生存。《離卦》兩日相繼，古代以日象徵君主，因此上卦是繼承下卦上一代君主的新君主，所以上爻要發動戰爭是源自古代的政治哲學思想。

「離王公也」，因為它佔據了最適當的六五位置，具備了這個卦文明之德「柔中正」的好處，所以仍得到因依附而保存自己的美好後果。

上九，王用出征，有嘉折首，獲匪其醜，无咎。

「上九，」

「上」指爻位最上，「九」指它是陽爻。

「王用出征，」

「王」是天下的共主、天子；「用」是憑藉。六五爻的天子，憑藉上九這爻所反映的情勢環境等等出征。凡「出征」一般是指國外的戰爭，這是第一點。第二點，凡用「征」字，代表是合乎正義之戰。

「有嘉折首，」

這句句讀改為「有嘉，折首」，意義更清晰。「嘉」是美好，「有嘉」指有美好的豐功偉績。「折首」，「首」是首級，「折首」即是斬首，這是第一義。「首」的第二義是敵人的魁首（領袖），程頤說：王者堂堂正正之師，只懲處為首的叛亂者及其同類，饒恕其他附從參與動亂的人。這才是「有嘉」。

「獲匪其醜，无咎。」

「獲」是得到；「匪」，通「非」；或以為通「彼」。「醜」，同類，一指叛亂者的同黨，即程頤的解讀；另一指出師者的同類，指獲得到不參與動亂的人的歸附、擁戴。「无咎」，沒有任何過錯。因為畢竟是戰爭，無論是否出於正義，都是不得已的事。戰爭做到最好，也只是本來有錯，幸而採取最合理的做法，令戰爭造成的破壞和傷亡達到最少，那就是「无咎」。「獲匪其醜」古今註家有很多不同的解釋。

《象》曰：「王用出征」，以正邦也。

《小象傳》解釋「王用出征」為天子發動王者之師去征服不依附自己的人，「以正邦也」。「以」是藉此，因為要糾正國家的錯失，這是不得已的事情。古代「邦」、「國」兩字通用。

《離卦》是說附麗需要柔、中、正，從常理來說，當附麗達到最完美的時候，應是得到全國人心的歸向。可是無論是多麼偉大的時代，也一定有少數的反對者。站在國家立場，為了維繫人心和秩序，應有同一種文化和價值觀、同一套全民遵從的法律，大家都跟隨的話，國家自然就會穩定。如少數反對者不發聲、不倡亂，可任由他們自由、存在，但如果他們出來鼓吹作反，那就會破壞國家的穩定，影響全民的生活，所以在古代一定要平息這類亂事。

《謙卦》同樣是由於謙到極點，如遇到破壞了謙德的人和事，也要作出整肅，以維繫「謙」德；現在《離卦》也是說要戡定叛亂分子。易學說，任何事物發展到極限，一定會走向相反面。所以易卦到了上爻，往往會走向與這個卦相反的意義去。其實宇宙的所有事物都有如鐘擺，不停從一端盪向另一端，是與非、幸福與不幸、美與醜，走到極限，就會轉向另一邊。所以看待事情不應太偏於某一面，如果能夠兼看正反兩面，往往能糾正只側重一面帶來的好處或壞處。

總結《坎》、《離》兩卦

《離卦》與《坎卦》是相反相成的兩卦。通行本《易經》的第二十八卦是《大過卦》，初爻和上爻為陰，中間四爻為陽，陽過多了，陽為大，陰為小，所以卦名是《大過》。陽的性質向上和運動，所以《大過》是運動過多，好處很大，但也帶來壞處，要抑制它過份運動和向上的性質，陽就須被陰所困，所以接着的第二十九卦是《坎卦》。《坎卦》是陽陷於陰中，不能活動。《大過》之後接着是《坎卦》，暗喻物極必反的哲理，說明這兩卦先後銜接的理據。

《大過卦》

接着第三十卦是《離卦》。只須看《坎》、《離》兩卦的爻畫符號，便可見它們是完全相反的，這在古代稱為「變卦」（以六爻俱變最符合「變卦」的名稱，引申為一、兩爻有變也稱「變卦」；其後明朝來知德改稱六爻俱變的卦為「錯卦」）。《坎卦》是陽陷於兩陰之中，受陰所困；《離卦》則是陰附麗在兩陽之中。《坎卦》說出了陽下陷帶來的危險，唯一能使它免於繼續下陷，就是依附在某些事物上面，先穩住自己形體，例如人跌入井中，或直沉水底，或攀附着井壁等人救援，那就不會溺斃，因此依附才有可能上升。所以《坎卦》是降得越低就越危險，因此《坎卦》的下卦較危險，上卦則可慢慢出險。《離卦》相反，依附向上，升得越高，附麗的性質就越重；但由於火的性質是越高越猛，燃燒的是上面部份，所以火是越在上面越危險；而水則相反，被水所浸的是下面，所以水是越深越危險。因此《離卦》下卦較好，上卦較差，剛好與《坎卦》相反。《坎卦》之所以險艱，就是因為初爻、三爻和四爻、上爻是陰爻包圍着二和五兩陽爻，上下卦都是陽陷於陰之中。《離卦》則是得到附麗就安全，六二附麗於初九，六五附麗於上九，便可利用卦中四陽爻剛明的性質去進行征伐，這兩爻就得到附麗的好處。所以初爻雖說「履錯然」，但「敬之」，便可以「无咎」。上爻本是火勢最猛、最剛，應該是凶險的，但「剛」而行正道，「明」而能明察人的好壞，是壞人才去懲戒他，那就可把《離卦》上九過份剛明的缺點利用戰爭來化解了，於是剛明有了妥善的利用方法，得到「无咎」的結果。第三點，《坎卦》的三、四兩爻是上下兩卦的交界，是兩道水流合流的地方。凡合流的地方，在下的較為凶險，所以《坎卦》三爻是整個卦最凶險的一爻。《離卦》的三爻、四爻是兩個太陽或兩把火連接在一起的地方，火是向上燃燒的，因此四爻所受的火力較三爻為多，所以四爻成為整個卦最凶險的一爻。

《坎》、《離》兩卦在《易經》的六十四卦中特別重要，細看通行本《易經》的排列次序可能便會明白。《易經》以《乾》《坤》兩卦最為重要，因為《乾》象徵天，《坤》象徵地，所以第一個卦是《乾卦》，第二個卦是《坤卦》。而上經以《坎》、《離》兩卦終結。《坎卦》和《離卦》其實可說是《乾》、《坤》兩卦的變體，《坎卦》的中爻其實是《乾卦》的中爻取代了《坤卦》的中爻，而成為它的主宰；《離卦》的中爻則是

《坤卦》的中爻取代了《乾卦》的中爻，而亦成為它的主宰。因此如《乾》、《坤》兩卦是象徵天地的話，《坎》、《離》兩卦則是象徵天地之心。天地本是無心的，我們只是套用了人類的想法，人類的心是指導行為的，引申天地創生，推動萬物運動、變化的自然功能，就叫做「天地之心」。因此我們可以說《乾》、《坤》為體，《坎》、《離》為用。《乾》、《坤》象徵天地之體，但真正推動天地萬事萬物變化的是《坎》、《離》兩卦。《坎卦》象徵月亮、水；《離卦》象徵太陽、火。如從宏觀的地球角度來說，太陽主在白天產生光明；月亮主在晚上產生光明，因此地球上有晝夜交替，是太陽月亮運行的結果。再進一步，太陽象徵溫暖，月亮象徵寒冷，地球上本無寒暑四季，因為太陽月亮的運行，結果形成地球上的春夏秋冬。地球上的植物亦因為四季而形成春生、夏長、秋收、冬藏的變化。因此太陽從宏觀意義來說，是促進萬物生長變化的關鍵。太陽月亮的運行對地球的萬物包括人類在內可說是影響深遠。至於人道將《坎》、《離》兩卦取其狹義為水火的話，水和火對於人類亦是極其重要的。沒有了水，生命不會存在。我們將來探索宇宙，如要找出一個有生命的行星，首先要看看它有沒有水，沒有水則一切有生命的假設都不能成立。但水之能產生生命，與溫暖有關，絕對零度根本不會有生命，而適當的溫暖是火的作用。當然人類飲食更需要火，因此水火是人生之大用。在古人心目中，晝夜、明暗、寒溫的交替，生物的變化，都是《坎》、《離》日月的作用，而人類的生存跟水火的作用也是密切相關的，所以《坎》、《離》兩卦較其他卦更受重視。

究竟從甚麼時候開始，易學將它們提升到如此重要的地位呢？相信這個過程是一步一步逐漸演進而成的。首先八卦之中，《坎》、《離》兩卦變成象徵日月水火的時候，先天上的重要性已與其他卦不同，因為在古人心目中，太陽和月亮是極其崇高的，僅次於天地（遠古時期太陽等同於天）。至於《坎》、《離》兩卦較之其他代表《艮》山《兑》澤《震》雷《巽》風的四卦更受到重視，可能早在春秋時代已是如此，甚至可能和《乾》、《坤》兩卦相提並論，或者已有《乾》、《坤》為體，《坎》、《離》為用的想法。這或可從《大有卦》引申推想說明。

《大有卦》乾下離上

《左傳》閔公二年，記載魯桓公在公子成季出生前使人占問，被告知是男孩，再占筮得《大有卦》，五爻為變爻，於是從《大有卦》變成《乾卦》。《左傳》是這樣說的：「又筮之，遇大有之乾，曰：『同復於父，敬如君所。』」「同」，象徵兒子和父親同德，即孝子「無改於父之道」。「復」，回復到原來的地方，意指占筮的結果是從《大有卦》變為《乾卦》，亦即《大有卦》的上卦《離卦》變回《乾卦》。「父」，說明《乾卦》和《離卦》有父子的關係，《乾卦》為父，《離卦》為子。「敬」，尊敬，臣子對君主應有的尊敬。「君」，君主，指《乾卦》象徵君主，隱指《離卦》象徵臣子。意指他的兒子將來是他的臣子，常在他這君主的左右，輔佐他施政。文中用「同」字，是說兩個卦有相同的性質或甚至是完全相同的性質。從此可推知，當時已認為《乾》、《坤》是眾卦的父母，《乾》為父、為君、《坤》為母、為臣；因此「同復」是說從《離卦》回復到《乾卦》，即《乾卦》本已發展變為《離卦》，現在回復到原來的《乾卦》去。《說卦傳》說到各種卦象時，更說《離卦》「為《乾卦》（後世解為乾燥之卦）」。可見春秋時的人已認為《乾》《離》兩卦是密切相關的。至於《坎卦》的重要性，在現存春秋時期的典籍中找不到文獻記載，但從《離卦》與《乾卦》的關係，可大膽推想到《坎卦》與《坤卦》的關係也會是這樣的。

正是因為早至春秋時代，《坎》、《離》兩卦已較其他卦更受重視，到了寫作《十翼》的時候，雖然只是特別強調了《乾》、《坤》兩卦的作用，亦已暗中說出它們都需要一些發展的，例如馬王堆帛書中的《衷篇》說到《乾卦》象徵天，因為六爻都是剛爻，發揮了陽的性質，剛健動而不息，如無柔爻挽救，這種不息就必會走向死亡；《坤卦》象徵地，六爻都是柔爻，它沉靜不動，如無剛爻文飾和與它混合，就會靜止滅亡，在人來說，甚麼也不做，就會變成貧賤，被人遺忘。因此《衷篇》說純剛的《乾卦》、純柔的《坤卦》如沒有相反的剛或柔的挽救，就會走向死亡毀滅的境地，《繫辭上傳》也說：「乾坤毀則無以見易（《乾》、《坤》兩卦毀滅後就不會見到易六十四卦的變化）。」因此可見在春秋到戰國時代，已知道《乾》、《坤》兩卦是象徵純陽純陰；但其實在宇宙之中，根本沒有純陽純陰的事物，萬物都是負陰抱陽。所以在《乾》、《坤》兩卦特別提到「大哉乾元」和「至哉坤元」，「元」象徵事物最初的開始，而《乾》和《坤》就是象徵天地的開始。

純陽純陰只存在於邏輯或理論，而在現實世界中的事物都是陰陽多少不同的混合，它們源於事物的開始來自純陽純陰這個假設。因此純陽純陰是宇宙運動變化、萬物生長的開始，真正要令到純陽純陰保持永恆無息地變化發展，就叫做「陰陽合德」而「剛柔有體」（《繫辭下傳》：「乾陽物也，坤陰物也，陰陽合德而剛柔有體」），意指剛柔兩種信息、能量、物質或事物的互相結合，產生了剛柔不同的事物。因此陽爻、陰爻多少不同的結合所形成的六十二卦，就是象徵萬物。用易理來說，陰陽兩爻在《乾》、《坤》兩卦中間的上下交互變化，就是令到《乾》、《坤》永恆無息推動整個宇宙變化的關鍵。那麼《乾》、《坤》最先產生的是甚麼？那就是其他的六純卦。從易學來說，叫「乾坤生六子」，即是《乾》和《坤》兩卦的結合，或者說《乾卦》初爻進入了《坤卦》初爻，變成《震卦》，是長男，《乾卦》中爻進入了《坤卦》中爻，變成《坎卦》，是中男，《乾卦》上爻進入了《坤卦》上爻，變成《艮卦》，是少男。同理，《坤卦》初爻進入了《乾卦》初爻，變成《巽卦》，是長女，《坤卦》中爻進入了《乾卦》中爻，變成《離卦》，是中女，《坤卦》上爻進入了《乾卦》上爻，變成《兌卦》，是少女。

古人可能很早已特別重視《坎》、《離》兩卦。例如東漢的孟喜、京房「卦氣說」除了用「十二辟卦」，根據陰陽爻象徵寒冷溫暖來代表四季，陰爻最多時是冬天，稍減是秋天，陽爻初長是春天，較多時是夏天，以象數符號的陰陽反映一年陰陽兩氣的變動。

尚有以最簡單的《震》、《離》、《坎》、《兑》四卦反映一年四季的卦氣變化。《坎卦》是冬至，在那一天冬季剛過了一半；《震卦》是春分，春季到那天剛過了一半；《離卦》是夏至，夏季到那天剛過了一半；《兑卦》是秋分，秋季到那天剛過了一半。每個卦代表一季（三個月），每卦有六爻，每一爻代表十五天，月份有節氣和中氣之分，每季有三個節氣、三個中氣，例如由冬至開始到春分之前，每一爻代表一個節氣和中氣，順着初爻走到上爻。

這個象徵地球變化、物產變化、禍福吉凶的簡單《卦氣圖》，以《坎》、《離》為冬夏的代表，已經反映出它們很大程度上控制一年寒暑和四季的推移，但仍未能充份顯示出它們的重要性。後來繼承了「卦氣説」而有所發展的漢代易學家荀爽，他最重要的學説是「乾升坤降」：指凡卦中的第二爻是陽爻的話，就應該升到五的位置；凡卦中的第五爻是陰爻的話，就應該降到二的位置，原因是乾爻象徵君主，坤爻象徵臣子，在易卦卦位裏，五位為君位，二位為臣位，因此如陽爻在二位，即君在臣位就不對了，要上升到五位才合乎身份地位；同理，陰爻為臣佔了五位的君位，也是大逆不道，應下降至二位才對。

荀爽的學説變成了儒家道德倫理學説中的「份位説」，表面上是説，如任何人都處身在自己最適當的位置，那就不用政府管治，天下自然太平；引申則是説宇宙任何事物都應有個最適合處身的位置，才能發揮它的最大作用，又不會損害別人的利益。因此《易》學認為天地人三道都守着自己適當合理的位置，對他自己來説是最幸福的事，而對天下則自然達到中和太平的境地。

以《泰卦》為例，就最能説明荀爽的説法。荀爽《易注》已佚，但唐代李鼎祚的《周易集解》引用了荀爽很多的註解，例如在《乾·文言傳》：「雲行雨施，天下平也」兩句之下，荀爽指《乾卦》發揮它合理、推動天下萬事萬物變化的能力，就會產生「雲行雨施」的作用，使天地萬物生長得最好，甚至使人類社會都到達最合理的境地，荀爽註原文是這樣説的：「坤氣上升，以成天道。乾氣下降，以成地道。天地二氣，若時不交，則為閉塞。今既相交，乃通泰。」但《泰卦》在發展的過程中，依據荀爽「乾升坤降」的理論，《泰卦》的九二當升上五位、六五應降至二位，這樣《泰卦》就變成了《既濟卦》，這時事情便發展到最理想、最成功、最幸福的境地，這時卦中的六爻全部得正，且陰陽相應，上卦的《坤卦》變成了《坎卦》，《坎卦》為水，水在天上就是「雲行」；

二、三、四爻組成的互體也是《坎卦》，水降到地上就是「雨施」；至於「天下平」是由於本身是《既濟卦》，《既濟卦》象徵天下萬事已濟（成功）。其實《乾．文言傳》也是暗中用了《既濟卦》這個意義來解釋的，例如「水流濕，火就燥，則各從其類也」就是了。本來的《坤卦》是陰性，凡陰性的事物代表濕，《乾卦》為陽，凡陽性的事物代表燥，現在是《坎卦》中爻的水回到《坤卦》，即流到下面潮濕的地方，而《乾卦》中爻的火，升到上面五位，即乾燥的地方。另外，「本乎天者親上，本乎地者親下」，《乾卦》象徵天，不幸降落地上，現在下卦《乾卦》的九二爻升到《既濟卦》的九五之位，即回到「天位」；而象徵地的《坤卦》的六五爻降到《既濟卦》的六二之位，即回到「地位」，所以是「則各從其類也」，現在都歸到同類那裏去了。還有很重要的一段：「夫大人者，與天地合其德，與日月合其明」，同樣可作此解。陽爻回到天上，陽爻與陽爻合一，陰爻回到地上，陰爻與陰爻合一，大人與天地相合；《坎卦》、《離卦》就是日月，便是「與日月合其明」了。荀爽全用卦爻的變化來解釋《十翼》的義理，當然有點吃力，但實際上亦有合理的地方。當他如此詮釋的時候，是因為心中認為《乾》、《坤》、《坎》、《離》這四卦特別重要，《泰卦》由《乾》、《坤》組成，變成《坎》、

《離》，用這四卦來象徵整個世界的變化。明乎此，可進一步明白他另一段更重要的文字，那是他對《乾．彖傳》的註釋：「乾起於坎而終於離，坤起於離而終於坎，離坎者，乾坤之家，陰陽之府。」《乾卦》如不死亡、繼續發展的話，一定是從《坎卦》開始一直發展到《離卦》；《坤卦》如不想靜止不動直至毀滅的話，就應從《離卦》開始發展，到《坎卦》結束，這樣，乾坤就循環無息地運行，永生不死，宇宙就可持續發展下去。「家」和「府」都是居住的地方，只不過「家」較「府」低一層次而已。

要理解這番說話，首先要知道「卦氣說」以《震》、《離》、《兑》、《坎》象徵春、夏、秋、冬；其次是以「十二辟卦」象徵一年十二個月的寒冷、溫暖陰陽的變化。「十二辟卦」依次是《復卦》、《臨卦》、《泰卦》、《大壯卦》、《夬卦》、《乾卦》、《姤卦》、《遯卦》、《否卦》、《觀卦》、《剝卦》、《坤卦》。《復卦》象徵從最寒冷的《坤卦》開始產生微陽，「復」即陽氣的恢復，那時是冬至，在節氣曆第十一個月，接着陽氣略有增加，那就是十二月。陽氣再多一點，就是正月，亦即立春之月，所以新年春聯常見的「三羊啟泰」的「三羊」，其實就是「三陽」，到了《泰卦》，亦即正月，已增至三陽（因中國人喜歡吉祥，「祥」、「羊」音近形似，就以「羊」字取代「陽」

字）。如以十二地支表示，十一月是子月、十二月是丑月、正月是寅月，如此類推。

中國古代每個朝代的產生，必須決定哪個月份是正月。據説夏朝以寅月為正月、商朝以丑月為正月、周朝以子月為正月。今天的農曆用了夏曆，以寅月為正月。如從天文學來説，夏商周三代的曆法，是一代較一代準確，因為我們要決定哪個月為一年的開始，必定要選陰陽交替、從寒冷轉變為溫暖的那個時刻，也即是陰極、陽生的時刻，這才合理。節氣曆的十一月包含冬至，冬至一陽生，一陽生也者，即是説之前全是靜止、寒冷的陰。因此夏朝曆法在探測這一點差了兩個月，商朝的觀測較接近了一個月，到了周朝，觀測準確了，能夠真正找出天文學上陰極陽生的位置，因此周朝建子是最合理的。但為甚麼我們不跟隨周曆而跟隨觀測誤差較大的夏曆呢？關鍵是中國以農立國，當説到開始，對佔全國人口絕大多數的農夫來説，就是工作的開始。如以子月為一年曆法的開始，那時天氣仍然嚴寒，農作物尚不能生長，必須延遲兩個月後才能開始耕種。如以寅月為開始，那時天氣雖寒冷，但在立春十日之內下秧，禾稻是最肥大的。反過來，等到天氣暖了才下秧，禾稻反而長得不好，所以從古到今，中國的君主都會在新春進行象徵性儀式，躬身率領百官春耕，以示重視農業，因此採用了寅月為正月。

節氣曆月份	十二地支	十二辟卦	
正月	寅	《泰卦》䷊	
二月	卯	《大壯卦》䷡	
三月	辰	《夬卦》䷪	
四月	巳	《乾卦》䷀	
五月	午	《姤卦》䷫	《離卦》
六月	未	《遯卦》䷠	
七月	申	《否卦》䷋	
八月	酉	《觀卦》䷓	
九月	戌	《剝卦》䷖	
十月	亥	《坤卦》䷁	
十一月	子	《復卦》䷗	《坎卦》
十二月	丑	《臨卦》䷒	

請注意：表中的月份不是農曆而是節氣曆。子月冬至那一天，是陽氣復生的開始。如拿十二辟卦和象徵四季的四個正卦比對，子月冬至即是《坎卦》，所以《坎卦》象徵一陽生，十二辟卦中的《復卦》也是一陽生，所以兩個卦在這一點是等同的，意指陽氣剛剛生長，《乾卦》開始一陽發動，與《坎卦》聯合交替發展，所以說「乾起於坎」。它經歷了《復卦》、《臨卦》、《泰卦》、《大壯卦》、《夬卦》，終於由一陽變成六陽的《乾卦》。《乾卦》是節氣曆的四月，在巳位，接着的五月午位《離卦》是夏至，乾陽這時發展完畢休息，所以說「終於離」，《離卦》是《乾》陽真正休息的地方。接着的《姤卦》、《遯卦》、《否卦》、《觀卦》、《剝卦》，就是陰爻的陸續生長，所以《離卦》中間的陰爻就是陰爻的開始，到第七個位就是《坤卦》休息的地方，因此說「坤起於離而終於坎」。所以《離卦》和《坎卦》是「乾坤之家」，乾坤提高一個層次是陰陽，一般的「家」也就變成高貴的「府第」了。

從卦的爻畫符號看就更容易明白，《坎卦》是陽爻被陰爻包圍，運用想像，中爻的陽爻猶如住在房屋裏面，《離卦》是陰爻被陽爻包圍，也如住在府宅之中，所以中間那一爻不是象徵陽住的地方，就是陰住的地方。由於易是講變動的，乾進入坎之後，一直變化發展，到《離卦》才居住下來；《坤卦》從《離卦》的一陰開始，到了《坎卦》的二陰才是結束之時。在這過程之中，陽爻是從《坎卦》發展到《離卦》，象徵任何事物都從內從中開始向外發展，發展到最後就是陽爻在外，瀰漫於外界（天地）；或者我們可以說，從內從中的細小發展到最巨大；或者可以說從假設虛無的陽發展到真正實際巨大的陽，就是整個《乾卦》的發展過程。《離卦》是相反的發展，最初是陰爻在裏面微小之極，發展到最後，陰瀰漫於整個世界；我們亦可以說，這是微小發展到巨大，或者是由無發展到有的過程。在這裏荀爽就將《坎》、《離》兩卦變成整個《乾》、《坤》變化的關鍵所在，用魏伯陽的術語來說，就是「乾坤為體，坎離為用」（「坎離者，乾坤二用」）。

究竟它們有甚麼作用呢？《乾》、《坤》兩卦是今天通行本的首兩卦，第三卦是《屯卦》，第四卦是《蒙卦》，繼續發展，第六十三卦是《既濟卦》，是《乾》、《坤》兩卦經過漫長歲月的發展，最終達到最完美的發展階段，但最終一卦是《未濟卦》，表示未竟全功，現在只是小成功，是未來大成功的踏腳石。在荀爽的易學中，《泰卦》發展成「水火既濟」是否就完成呢？剛好相反，當變成《既濟卦》後，上卦《坎卦》的陽爻就會按照《乾卦》的發展規律，由《坎卦》發展成《離卦》，下卦《離卦》就會由陰爻一直發展成《坎卦》，變成《未濟卦》。因此《既濟卦》本身並不是結束，而是進一步乾坤起於坎離、終於離坎的繼續發展，於是荀爽根據他的宇宙觀，提出了乾坤陰陽兩元推動了整個世界生生不息的發展、變化，這就是他的易學的中心思想。

《坎》、《離》兩卦對儒道釋三家的影響

荀爽已將《坎》、《離》兩卦的性質提升到繼承《乾》、《坤》兩卦的地位，甚至說明《坎》、《離》兩卦就是《乾》、《坤》兩卦變化發展的關鍵之所在。略後於荀爽的後漢末東吳的虞翻繼承了魏伯陽的說法，認為《坎》、《離》就是易，即以日（離）月（坎）為易。換言之，他同樣從宇宙觀的觀點，認為《坎》、《離》兩卦就是推動整個天地變化的關鍵。後世的易學家繼續循着這思路發展，認為《坎》、《離》其實就是《乾》、《坤》之心。「心」字從具體形象來說，就是指《乾卦》中爻蘊含在《坎卦》裏面，《坎卦》的中爻是《乾卦》一切功能作用的反映；從處於中位的意義引申，中爻當然就等於《乾卦》的心。同理，《離卦》的中爻就是《坤卦》的中爻，也就是《坤卦》

的心。因此他們進一步認為《乾卦》是說仁、《坤卦》是說義。《乾卦》所象徵的天道是永恆無息，真實無妄重複地出現，是最高信實的表現，因此稱為「誠」或「至誠」。《坤卦》以順從《乾卦》為最大的德性；順從有表面順從和心中樂意順從之分。為甚麼心中樂意無條件地順從呢？那是對別人無限尊敬的結果，因此《坤卦》的德性表現為敬。《乾卦》是仁、是誠；《坤卦》是義、是敬。所以後來的儒家講述仁、義、誠、敬，認為是來源於《乾》、《坤》兩卦，而《乾》、《坤》兩卦來自天道的自然規律，因此仁、義、誠、敬不是外來強迫的力量促使人實行道德，只是遵從天地賦予人的本性而合理發展其本性而已。而《坎》、《離》兩卦的意義經過如此發展之後，《坎卦》的中爻就是《乾卦》，因此《坎卦》所要表現的最高德性和《乾卦》相同，是天道永恆無息、重複出現的規律，用人類的觀點來說，就是「誠」，就是真實無妄。《離卦》中爻是空虛的，所以能夠展現出裏面的光明，因此《離卦》象徵太陽、火光、文明，它的最高德性是「明」，就是明善、發展光明峻偉的明德。宋儒發展了《中庸》的哲學：《中庸》特別闡發「誠則明矣，明則誠矣」的「誠明之學」，「誠」來自乾，是天道自然如此運行，在人是天賦予人的人的本性；「明」來自坤，是坤效法乾，順從乾而具有的明德，即《坤卦》六二爻所說的「直、方、大」的德性；在人則是後天努力實踐《中庸》開宗明義「修道之謂教」之「教」才臻至的天人合一的終極修養。「明則誠矣」，就是由擴充後天明德恢復到先天本性，以人合德；「誠則明矣」就是由先天繼續發展人類「誠」的德性，以德合人。「誠」來自天道；「思誠」、「誠之」來自人道實踐以合於天道。這兩種天人合一，相反相成，但都是合天德、人德為一，可說是天一合德的人性修養方法。它成了宋代周敦頤、張載、程顥、程頤、朱熹諸大儒理學（哲學）所說的中心內容。結果宋代及宋代以後學者就利用了《坎》、《離》兩卦背後所蘊藏的哲理來講儒學人生修養，成為後來中國儒學所特別關心、着重實踐的內容。

後來更進一步，將《坎》《離》兩卦的義蘊發展成為治理國家或個人進德修業的關鍵之所在。清聖祖時牛鈕等所撰的《日講易經解義》，在《離卦》總論中說：「自太極既判，兩儀化育以後，凡水火日月之用，寒暑晝夜之運，莫非二卦之所包蘊」，這是說《坎》《離》兩卦所象徵反映的就是整個天地萬物變化的規律。跟着說：「帝王體之以治天下，則裁成輔相之道以立」，則說出了身為國家君主，如掌握了《坎》、《離》兩卦所蘊含的精義，可達到治理國家的最高理想。「裁成輔相」說出了一方面是順承天地的規律，另方面則是參贊天地的規律，達到人道最理想的境界。「聖賢體之以治一身，則動靜通復之理以明。」而聖人、賢人，甚至普通學習《易經》的人，掌握了《坎》、《離》兩卦所蘊含的意義，就明白個人宜動宜靜的關鍵，懂得「窮則變，變則通」的通塞道理，通過變通之道來變塞為通，使到美好幸福的生活能夠繼續；「復」就是指《復卦》所説的善性初萌（明善復初），是學習和進德修業的激發力量，遵循《復卦》之道，就能由《剝》而《復》，達到個人最好的進德修業的成就。「洵乎《易》道之微，能範圍天地而不過矣。」易道精微廣大，能夠將天地一切事物原則規律都包括在內，這是真實可信的。這裏是從儒家觀點，誇張地讚揚了《坎》、《離》兩卦的重要意義，能夠掌握了《坎》、《離》兩卦的精義，大至治理天下國家，小至個人的進德修業，都可達到理想的境地。

儒家之外，《坎》《離》對後來道家、道教的影響亦非常大。東漢（約在公元一四零至一六零年間）魏伯陽所撰的《周易參同契》，發展京房易學體系，糅合黃老學説，以這兩種哲學思想作為理論基礎來解説當時開始發展的內外丹學，説明為甚麼內外丹有神奇改善身體的效果。這本書其實主要是以《周易》的易學作為理論根據，然後酌量採用了黃老哲學的理論來解說煉丹的。

為甚麼煉丹會對身體造成這麼大的好處？原因是先秦兩漢時已認為人和天地有共同來源、共同結構，後世丹家則稱為「人體小天地，宇宙大人體」，類似今天西方新興的「全息論」。宇宙天地服從自然規律，所以宇宙天地永恆地存在，人類很多時因為違背了自然規律，所以壽命不能活到天年。如果我們能了解自然規律，將自然規律應用於身體，使身體的生理變化和自然規律一致，那我們的身體就等同於天地日月，可以「永恆不死」。當然如此類比，今人的科學腦筋很難接受，但起碼會認同這是一個合理的推想。所以魏伯陽應用了漢代當時所發展的自然科學最先進的成果，通過易學原理來歸納宇宙理論，並用此原理指導煉丹。

《周易參同契》上卷第一章說：「乾坤者，易之門戶，眾卦之父母，坎離匡郭，運轂正軸」。「乾坤者，易之門戶，眾卦之父母」，意指《乾》、《坤》兩卦是易的門戶。門戶是人出入的地方，人出外是為了工作，象徵活動；入屋是為了休息，象徵靜止。這裏說出了《乾》、《坤》兩卦反映了整個宇宙萬事萬物的變化、動靜、出入。即是說將事物一直提升、濃縮、簡化到最後，得出宇宙變化兩個最關鍵的元素就是陽和陰，或乾和坤。這兩種相反的物質、動力的排斥、推動、結合等，是形成整個宇宙萬事萬物的產生和變化的關鍵。六十四卦都是由陽爻和陰爻的多少和分配在不同的位置而形成的，因此如要乾坤不死，陰陽必須相交，補救自己的缺點，於是陽爻和陰爻分別進入了《乾》、《坤》兩卦裏面。陰陽爻在不同的位置，首先產生了《震卦》、《坎卦》、《艮卦》、《巽卦》、《離卦》、《兑卦》六卦，然後八卦重疊，由三畫卦變成六畫卦，於是得到六十四卦。其他六十二卦都是來源於《乾》、《坤》兩卦，所以《乾》、《坤》兩卦是眾卦的父母。

「坎離匡郭」，在六十四卦中，《坎》、《離》兩卦象徵日月，當有了天地，形成上下空間位置後，太陽和月亮就在其中運行，它們的運行形成一個橢圓形的軌道，在軌道之內形成一個橢圓的空間範圍，這個空間範圍好比人類的城池，城池呈包圍形狀，保護着城裏的居民，太陽和月亮的軌道所形成的空間範圍，就是古人所想像的天地範圍。在易卦中，《坎》象徵月，《離》象徵日，《坎》、《離》的配合，象徵天地空間的形成，萬物就在這空間內生長發展。這便是「坎離匡郭」，「郭」即外城。

「運轂正軸」，「轂」是車輪中心的圓木，兩端分別與車輻的一端相接，中有圓孔，可以插軸；「軸」是穿在輪子中間的圓柱形物件，使車輪能繞軸轉動。整句是說《坎》、《離》兩卦處身於天地之中，它們好像車輪般轉動，推動了天地之內萬事萬物的變化。從這裏所說，可見魏伯陽認為《坎》、《離》兩卦在六十四卦中是特別重要的。

他接着說：「坎離者，乾坤二用」（《坎》、《離》兩卦表現了乾坤的作用），這是指「乾坤為體，坎離為用」。天地本無變化，因為日月的運行，天地就產生變化；地球本無晝夜，因為日月的運行，才形成白天光明、晚上黑暗的規律；地球本無四季寒暑，因為太陽運行產生的遠近距離，令到地球產生春生夏長、秋收冬藏、寒暑四季的交替變化。地球的植物本來沒有變化，因為四季的交替而產生植物生長、壯大、成熟、收藏的一年變化；再推廣到動物、人類、天地、社會的變化，都和日月有關。因此在乾坤（天地）之內，推動萬事萬物變動的就是坎離，所以說坎離發揮了乾坤的一切作用。

進一步，魏伯陽說「易謂坎離」，易的本義是變化，坎離即日月，他將坎離的作用從人生推展到萬物，更推展到天地。受魏伯陽影響最深的三國東吳虞翻繼承了魏伯陽的神仙易學，但改變為儒家易學。因此虞翻同樣說「坎離為易，日月為易」，甚至發展了魏伯陽的理論。至此，魏伯陽所建立的宇宙哲學理論經已奠定基礎。

至於內丹或外丹怎樣根據宇宙自然規律作為練功的根據和實際修持的方法呢？魏伯陽用了一個簡單而明確的方式去說明，他說如要掌握天地陰陽兩氣的變化，似乎是很抽象的事，但可從日月運行中間體會到陰陽兩氣的變化。遵照月亮明暗的多少和變化（明亮象徵陽，黑暗象徵陰），調動體內的氣加以配合，那就可使身體裏面陰陽兩氣的運行與天地兩氣的運行吻合。當時的天文學已知月亮本身無光，月亮之所以有光，是因為接受太陽光的照射，因此月光之多少，反映月亮接受太陽陽氣的多少。加以引申，月亮明亮時，將太陽光反射至地球，地球較正常增加了陽氣；月亮黑暗時，相對地地球減少了陽氣，因此可以以月亮接受陽光的多少作為標準，調動自己體內的陰氣或陽氣加以配合。即每月初一至十五日，月光由只有最微弱的光輝開始（朔），逐漸增加到最明亮（望）；而從十六日到月終（晦），則月亮的光輝又從最明亮逐漸回到沒有光輝。練功的過程仿效它，從月初開始，跟隨月亮將陽氣一直由微小煉至最強大；十六日之後，根據易學物極必反的規律，仿效它，陰氣由最少產生到最多。這樣練功，便反映了陰陽兩氣盛衰交替循環的整個過程，由此他以「月體納甲」建立煉丹的理論。其略可見清代仇兆鰲所撰的《周易參同契集注》所附的「六候納甲圖」：

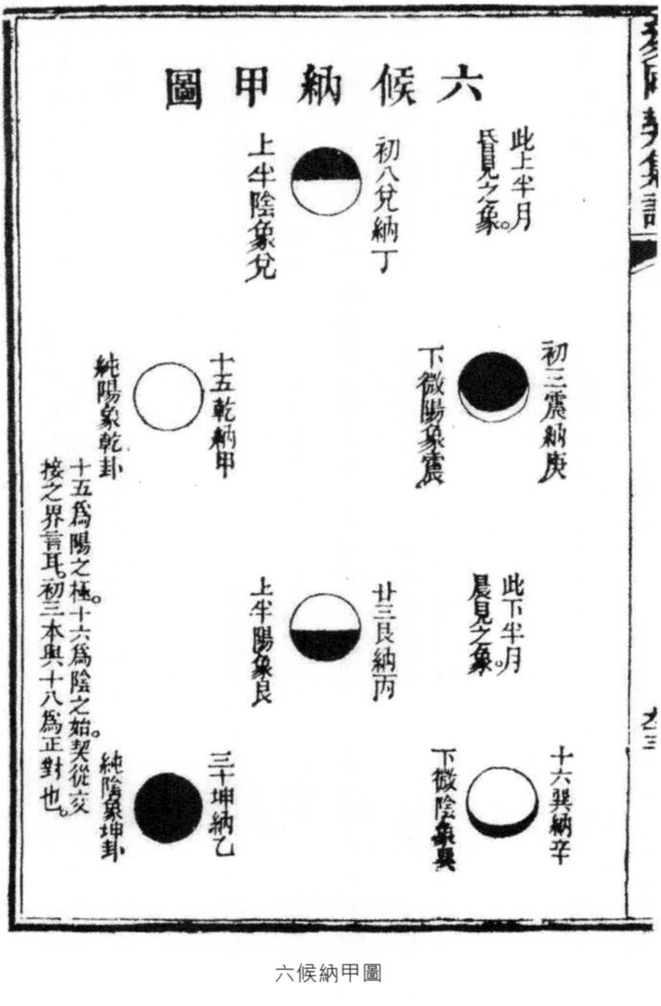
六候納甲圖
此上半月昏見之象。
初八兌納丁
上半陰象兌
初三震納庚
下微陽象震
十五乾納甲
純陽象乾卦
此下半月晨見之象。
廿三艮納丙
上半陽象艮
十六巽納辛
下微陰象巽
三十坤納乙
純陰象坤卦
十五爲陽之極。十六爲陰之始。契從交接之界言耳。初三本與十八爲正對也。

六候納甲圖

陽爻象徵光明，陰爻象徵黑暗，《坤卦》三爻皆陰，即黑暗之極。農曆每個月最末一日（廿九或三十的晚上），月亮完全無光，那就是《坤卦》（實在是指二十六至三十這五天）。從初一開始，月亮開始發出微光，到了初三，蛾眉新月就會出現，那是《震卦》（包括初一至初五這五天，以下仿此），陽爻初九在最低處，象徵光明，上中兩爻六二、六三是陰爻，象徵黑暗，它出現在黃昏時候的西方（代表西方的天干庚和辛，它們一陽一陰，都屬金，金的方位在西）。到了初八是《兑卦》，下兩爻為陽，上爻為陰，象徵月亮變為大半光明，它的位置在丁，丁的方位在南，因為《震卦》是陽卦，所以配庚，庚為陽金；《兑卦》是陰卦，所以配丁，丁為陰火。到了十五滿月，就是《乾卦》，三爻皆陽，月亮光明圓滿，在東方出現，因為屬陽，所以配甲，甲為陽木，木在東方。到了十六、七日，滿月開始虧損，微微出現陰影，那是《巽卦》，《巽卦》下爻是陰爻，上兩爻是陽爻，象徵月亮的下面開始有些陰暗了。《巽卦》是陰卦，位置在辛，辛屬陰金，在西方。到了廿三是《艮卦》，《艮卦》是陽卦，位置在丙，丙是陽火，火在南方。《艮卦》下兩爻是陰爻，上一爻是陽爻，象徵月亮只是上部有些光輝，下面變得黑暗。然後到每月的最後一日，月亮全黑，恢復回到三爻純陰的《坤卦》，《坤卦》是陰卦，位置在乙，乙是陰木，木在東方。另外，《乾》《坤》兩卦為父母卦，體大，所以《乾卦》兼配壬，《坤卦》兼配癸。

為甚麼《坎》、《離》兩卦不在其中呢？原因它們在天地的中心，因為《坎卦》象徵月亮，《離卦》象徵太陽，《坎》、《離》兩卦的變化象徵日月推動天地萬物的變化，所以不和其他六卦並列。另外，從初一開始到三十日，表面是說月亮光暗的變化，其實變化來自所接受太陽光的多少，所以是日月同時徹始徹終推動變化。用古代的術語來說，坎離是在「宇」的中心，「宇」指上下四方的空間（「宙」指往古來今，說的是時間，是終始的關鍵）。因此《坎》、《離》兩卦就是整個宇宙的時間和空間的中心，暗中推動變化，從黑暗到少許陽氣產生，陽氣產生到達一半、超過一半，到達最盛，然後開始減少，直至完全黑暗為止。陽氣多少象徵陽氣逐漸增加和減少的過程。我們掌握了這規律，就知道人體內氣的運行如與此吻合無間，那就和宇宙一致、天人合一，就可達到長壽健康的目的。

但這只說出了陰陽一直在運動變化而已，更重要的是，到了農曆每月最末一日的晚上，太陽和月亮都到了正北方，正北方是指那天的晚上子時，太陽和月亮都在當地人所居的地球的背面，古人認為在此短暫的時刻，日月在同一位置，月尾是休息的時候，所以在此一刻象徵日月停輪（停止了運動），結果太陽的「精」跟月亮的「華」結合。太陽主神，月亮主氣，兩者互相交輝、匹配、交易精華。本來辛苦運行了一個月的太陽和月亮損耗甚多（古代自然哲學的想法），但經過這極短時間的靜止，日月的結合，再次孕育出新的生命元素，恢復了活力，於是到了初一，日月精神奕奕，又可再運行一周。到了月終（廿九或三十），陰陽又再度結合。原來掌握了日月的運行規律，已很重要，但更重要的是在一個月之末、日月靜止混合交輝，孕育出新生命的信息、能量，那才能令日月的生命生生不息，不會像人類那樣迅速衰老死亡。應用了這理論，我們可以說，為甚麼人類的壽命如此之短？後世的人說男女、即坎男離女的交合孕育出後代，子孫則可將他們的遺傳基因一代一代傳承下去，但男女的交合卻縮短了自己的壽命，如避免了男女交合，那就不會損耗自己的精華，我們利用這種精華在自己身體內調配，利用自己所有，去招攝自己所無，找到相反相成的物質（藥物，指可以使人長生不老的藥物）和它結合，在自己身體內孕育出能無限發展生命的藥物，這種物質就會刺激自己的身體，就像初生嬰兒一樣，具備無限生長的能力。如每次練功都產生少許生命物質，累積的結果就可減低甚至或可以停止衰老，返老還童。後來唐代的鍾離權、呂岩繼承並發展用了魏伯陽所建立的丹道理論，見於《靈寶畢法》、《鍾呂傳道集》等著作。到了北宋神宗時張伯端紫陽真人撰寫《悟真篇》，終於將魏伯陽的理論，闡釋發揮到完美的地步。《悟真篇》內容有七言律詩十六首、七言絕句六十四首等，絕句的第十六首即說出其要訣：「取將坎位中心實，點化離宮腹內陰。從此變成乾健體，潛藏飛躍總由心。」其義可從《先天八卦圖》（《伏羲八卦方位圖》）和《後天八卦圖》（《文王八卦方位圖》）來解說。

《先天八卦圖》反映了宇宙在創生、甚或尚未創生到宇宙開闢的過程之中的陰陽狀況，正南方的《乾卦》和正北方的《坤卦》的爻畫是陰陽相對的，正東方的《離卦》和正西方的《坎卦》也是陰陽相對的，引申《艮》和《兑》、《震》和《巽》的爻畫亦是陰陽相對的。當事物相對，正如上世紀的美國和蘇聯冷戰，兩個強國對峙，大家都不敢發動戰爭，靜止下來。因此任何事物在對等的情況下，最初就不得不保持靜止不動。套用一九三二年伽莫夫的學說，宇宙原始是個大火球，靜止不動，在這時候，宇宙既無時間，亦無空間，大火球的爆炸形成了今天多姿多彩的宇宙。我們叫靜止不動為「無極」，

先天八卦圖（伏羲八卦方位圖）

後天八卦圖（文王八卦方位圖）

西方則稱為「原始大火球」。因此《先天八卦圖》象徵着事物的最初開始。當宇宙一開闢，任何事物都產生變化，《乾卦》發動，逐漸變成《離卦》；《坤卦》發動，逐漸變成《坎卦》；於是變成《後天八卦圖》，原本《乾卦》的位置為《離卦》所取代，原本《坤卦》的位置為《坎卦》所取代，於是其他各卦的方位也跟隨配合改變了。《坎》為水，接着《震》、《巽》為木，《離》為火，《坤》為土，《乾》、《兌》為金。《艮卦》為土，既是五行順行一周的結束，也是另一個循環的開始。北方是《坎卦》，屬水，象徵冬天；東方是《震卦》、《巽卦》，屬木，象徵春天；南方是《離卦》，屬火，象徵夏天；然後在火變金的過程中間，先要經歷火變土，因此從《坤卦》的土，催化變成西方《兌卦》、《乾卦》的金，象徵秋天，然後金生水就回到冬天的《坎卦》。《坎卦》如要變成木，也要經過土的「催化」作用，於是以《艮》土「催化」，然後結束一個循環週期，開始另一個週期。這是說五行之氣在一年四季中間變動的過程。漢代的「卦氣說」就是利用了這個卦圖來說明一年四季寒暑氣候事物的變化的。

當宇宙由先天變後天，《乾》、《坤》就變為《坎》、《離》，古人認為原始最好，能恢復原始最佳，尤其修煉丹道，以逆行回到原來為理想。原因是宇宙萬事萬物的生長規律基於時間因素是無法逆轉的，至少直到今天仍然是這樣。任何事物的開始發生、成長、壯大、衰老、死亡是自然規律，向前行就是經歷這個路程；但如逆行，衰老會變壯盛，壯盛變年輕，那人就會永遠不死。所以逆行是煉金丹大道的主要原則。眼睛本來望向外間世界，現在逆行內視自己的身體（例如丹田）；耳朵本來聆聽外界的聲音，現在只聽着自己身體裏面的聲音（例如呼吸或心跳聲），等等，這些都是以逆行來扭轉規律的向前發展的。因此由《乾》、《坤》變為《坎》、《離》，逆轉就是由《坎》、《離》回歸到《乾》、《坤》去，等如扭轉了時間的規律和自然生長的規律。北宋神宗時張紫陽撰寫的《悟真篇》七言絕句第十六首的詩是說（版本不同，排列次序或作第三，或作二十六，或作三十三）：煉丹的人將《坎卦》中間的陽爻（陰為虛，陽為「實」）拿出來，取代《離卦》中間的陰爻（陰為「虛」），這樣，《離卦》變回《乾卦》，《坎卦》變回《坤卦》，後天逆回先天。在於人體，原本是《離卦》在頭上、《坎卦》在腹中，現在變成《乾卦》首在上、《坤卦》腹在下。能夠做到這樣，身體可恢復至原始《乾卦》的身體，好像乾天永恆無息地運行、不會衰老（「乾健體」），「潛藏」是指隱藏在下面，「飛躍」引申是說體內兩氣就能真正受到人為操縱、正確從容地在體內上升到頭頂，下降至腹部，符合天地陰陽兩氣運行的規律，於是身體就可如天地般永恆不老。

簡單來說，從最低層次說起，《坎卦》是腎臟，《離卦》是心臟，能夠將心氣下降、腎氣上升，令到心腎相交，就達到中醫學所說的理想健康狀態，正常人練氣功或通過服用中藥都可做到；第二個層次，心臟之氣和腎臟之氣相交，對身體大有裨益，上述這兩個層次可以通過肝肺兩臟的傳送達成。即腎水通過肝氣的傳道（導）到心臟：心火通過肺氣的傳道到腎臟，達成心腎、水火相交，說法見於《鍾呂傳道集》等書，也是平常人可以做到的；第三個層次，心氣進一步發展為火氣，腎氣進一步發展為水氣，水火兩氣是高層次抽象的心腎兩氣的發展；第四個層次，水火兩氣提升變成陰陽兩氣，這才是金丹大道所要修煉的藥物，三、四這兩個層次則需利用任督兩脈的修煉了。它的理論說，到了每月最後一天，日月在北方停輪，互相交精交華，孕育出新的動力。在人來說就是人體的生命物質，因此練功是要將離宮的太陽放在北方的位置。人體北方的位置是在腹部以下的會陰區或丹田區，於是意念守着丹田，就可達成人體抽象的日月水火坎離相交，因為意守、內照丹田，意即神即火，丹田內產生精氧，以神和氣（這氣是精氣合一的氣）結合為一，就孕育出寶貴的生命物質。這種物質順從天上的太陽月亮運行的軌道、或者太陽運行的黃道，這在人體叫做任督二脈，藉此輸送這種生命物質去強化、激發身體，使到身體受到生命物質的推動，從而達到改變生命的終極目的。方法很簡單，但究竟產生的是甚麼物質？古人所說很抽象，不容易了解。到了今天，搞科學的人提出了很多假說，其中一種說法是三十多年前鍾益生先生所提出的。他寫道：「筆者根據現代科學，結合古代文獻，有充份理由認為，這裏所說的，腎是指性腺——男子的睾丸、女子的卵巢，腎水指精液，腎水中的陽、即《坎》中陽爻是精液中的激素、前列腺素（PG），也可說包括腎上腺及其分泌的激素。因為 PG 對身體的影響最大，惟有精液中所含的 PG 最豐富，故自古以來練功養生的人最重視守田保精，『守田』就是意守下丹田，『保精』就是要精不外洩。注意，婦女這兒就是子宮所在的部位，子宮內也有 PG（前列腺素）。」這個說法特別強調了前列腺性素和腎上腺，甚至腎上腺皮質激素，以至所產生的多種內分泌是練功改善身體、延緩衰老的關鍵。以上是他作為專家的說法，但個人認為仍可以繼續深入研究，才能夠得到正確的答案。因為縱使他所說的正確，但這只是丹道不那麼重視的「後天精」，並非丹道所需的「先天精」。

從中國傳統理論來說，日月停輪、日月交精，然後產生基本生命物質，在我們人體內，前列腺素等是否就是最基本的生命物質、有再生的功能，這是值得我們探討的；反而今天未發展完善的西方生物醫學觀點認為幹細胞可能才有此功能。幹細胞還有原始幹細胞和後期發展的幹細胞之分，越是原始的幹細胞越可演變為有特殊需要的細胞。今天如肝腎有事，要更換肝腎，但如有原始的幹細胞，原始的幹細胞可能會產生新陳代謝的作用，將壞了的腎臟變成新鮮活潑的腎臟，當然越後期的幹細胞功能就越小。可能還有一種叫「端粒酶」的物質是生長的關鍵要素，它是控制着RNA、DNA變化的一種物質，例如根據美國生物學家海弗利克（Leonard Hayflick）所說人體細胞一生人中只能分裂五十次，之後再不能分裂，人就死亡，所有動物細胞的分裂次數都不同，這就決定了牠的天年長短。但為甚麼癌細胞能無限度分裂呢？就是因為癌細胞裏發現端粒酶，它可能就是令癌細胞不停生長的原因。端粒酶不好的一面是變成癌症，好的一面是可以維持正常細胞的分裂，甚至增加人體細胞分裂的次數，那就等於可以延長人的壽命。理論上，人體細胞在寒帶地域分裂的時間較慢，在熱帶較快，平均一次是兩年半，乘以五十，人的天年應是一百二十，甚至是一百五十。端粒酶在正常人體中是找不到的，但可能在睾丸或卵巢中，或在性腺系統或心血管系統中找得到。究竟是否是端粒酶巧妙的作用令到人體細胞分裂的次數增加？可能它或造成好處，或造成壞處，都是視乎人如何運用它。中國丹道中的精是否就是指端粒酶？還是幹細胞？還是另有更高層次的東西？暫時仍未有答案。上面那篇文章所提到的前列腺性素三十年前是可以接受的，到了今天，我們則必須存疑，應再深入研究。

上面是說《坎》、《離》兩卦在煉丹的作用。其實表面上是講煉丹，背後是根據宇宙原理去指導煉丹的，因此它所講的理論已是一種古代的自然哲學。這是《周易參同契》發展了漢代的易學，將漢代易學的宇宙哲學發展到另一個高度，因此如單站在易學的立場來說（不論煉丹），他的宇宙哲學的成就已是值得後人讚揚的，遺憾是它用煉丹的外貌來隱藏了它的更大成就，而煉丹術則受到正統學術界的忽略，尤其是清代的學者錯誤地認為這本書是道家道教的著作，站在儒家的立場排斥、攻擊它，而不提其偉大成就。究其實，宋代易學所講的《先天圖》就是它的「月體納甲說」的引申。清代學者以為《先天圖》古代所無，是陳希夷所創，但隨着今天學術界的進一步探討研究，在馬王堆帛書幾本解釋《周易》的著作中，甚至在「楚簡」的《太一生水篇》中，又或者漢代的著作中，其實都可以找到《先天圖》的影子，因此《先天圖》絕不是到了宋朝的人才有的想法，可能在春秋後期或者戰國初期已萌芽，所以今天我們認為《先天八卦圖》和《後天八卦圖》都有古老的根據。退一步，即使沒有根據，只是宋代人的發明，也是非常了不起的。

人類必須有發明才能有進步。宋代的易學家、甚至宋代的《河圖洛書》，都是在發展魏伯陽所講的宇宙理論這門學問，那是中國古人對宇宙規律的看法，表面似乎很粗淺，與今天西方精密的科學比較尤甚，但中國的學術思想就是要追求模糊，藉此找出眾多事物的共性；當歸納了天下事物，找出事物的共性，那就接近宇宙的基本原理。基本原理是很難改變或被人推翻的，反而由基本原理發展到枝節，可能會在學術進步後而被改正或推翻，因此西方的科學系統一次又一次被修正，甚或被新系統所取代，而中國這個自然哲學系統到今天仍經得起時間的考驗，這種學問在中國漢代稱為「象數學」，宋代則叫「河圖洛書之學」，其實都是解釋宇宙事物、說明宇宙事物變化運動的學術。今天中國科學家跟從西方的文化思維方式與學問，以此文化思維發展的西方科學雖然發見了宇宙許多真相，但仍然只屬於宇宙某一角度或某一方面，如從中國另一個自然哲學角度去看，可能會看到宇宙的另一面的真相，那人類的科學發展才會更全面、更完善。如果「象數學」淪為單純講醫卜星相的原理就大才小用了，但如果中國各門學術都是在它背後找尋宇宙萬物發展的規律作為它的理論根據，再提升變為中國的哲學思維，然後未來的中國科學家秉承這思維去發展科學，可能人類的科學會另有不同的發展，中西互補，人類的科學進步就會更快更大了。有個最簡單的例子，古希臘認為原子是最微小不能分裂的單位，但後來陸續發現了中子、質子、基本粒子，幾十年前，物理學家探討基本粒子是否是最基本不能再分裂的單位，西方的物理學家一般都認為是；受中國傳統哲學影響的科學家則認為還可繼續分裂，原因是中國的哲學觀點令他們產生信念，這信念促使他們有不同的推理思維和解決問題的方法。所以我希望學習「象數學」的人也能提升到哲學、科學的高度來發展未來的易學「象數學」。

《先天圖》中，乾坤在南北為本體，坎離在東西產生作用。《坎卦》本身是水，但中爻是《乾卦》，《乾》是金，所以《坎卦》表面是水，由於中間一爻是金，因此是水中有金（水中金）。為甚麼《坎卦》的水能源源不絕地流出來？就是因為其中的金生出水（五行：金生水）。同理，《離卦》為火，但也象徵木（《離卦》兩陽爻在外，一陰爻在中，象徵外剛內柔，和樹木類似），所以《說卦傳》說《離》「其於木也，為科上槁」；中間的陰爻其實亦是「水液」（中間的陰爻來自《坤卦》的中爻，《坤》為地，地中有水，水即液），綜合這兩象，《離卦》的中爻有木液之象，那是樹木的原始材料，五行：木可生火。因此《離卦》的太陽光能夠永恆不息。猶如人間的火焰得木才能夠繼續燃燒（太陽中心的核聚變產生無限大的爆炸熱力，令到太陽用極小的原料（氫）就能產生神奇的熱力，所以太陽的光熱可維持一百億年）。當我們說「乾坤為體，坎離為用」的時候，坎離就是水火，水火需要金木源源不絕支持，才能產生，因此丹道煉功表面上說是煉水火，實際是煉金木。除了這個原因之外，就是丹道注重煉先天，水的先天是金（金生水，所以金是先天的水），火的先天是木（木生火，所以木是先天的火），所以煉金木就是煉水火的先天，更合乎丹道的高要求。因此很多家派都是從練肺金、肝木開始，這合乎更高的理論。進一步由《先天圖》變為《後天圖》離南坎北時，便變成坎離為「體」，而東方的《震卦》和西方的《兑卦》便變為「用」。震為木，兑為金，因此仍然是以金木為用。煉功要求從後天返回先天，因此震兑是我們練功的關鍵。等到我們做到這一步，返回先天「乾坤為體，坎離為用」，仍是金木的作用，可知最初練功所練的是金木，最後練功仍然練的是金木。練功的第一個階段是小周天，小周天是「坎離交媾」（大周天後期仍然是坎離交媾！），實際是震兑為用；第二個階段是大周天，大周天是「乾坤交媾」，其實仍然是坎離為用，坎是水中「金」，離是火中「木」，在地支中，金為酉，木為卯，因此大周天又叫「卯酉周天」。大小周天兩者同是用金、用木為主。這是中國的傳統自然哲學，中國的學問都受它影響，丹道自然不能例外，道教思想和實修就是由此引申、發展，所以對《坎》、《離》兩卦同樣注重。

其實道教何只只受《坎》《離》兩卦的影響而已，所有的易學理論都對道教產生極為深遠的影響！

佛教本是外來的，究竟有沒有受到《易經》的影響呢？肯定是有的。南北朝時，佛教徒和佛學家已開始用易學來闡釋佛教教義。到了唐代，明顯受到影響的是密宗的《原人論》，以漢易解釋佛教的理論；另外，李通玄以《周易》闡釋華嚴宗的教旨；而深入文人之心的禪宗，尤其是曹洞宗，受到《易》學的影響更深。而曹洞宗又影響了後來的雲門和法眼兩宗。因此在禪宗來說，直到清朝為止，都仍然應用《易》學的理論來解說禪學，並且備受重視。中唐禪宗的希遷大師（公元七零零至七九零年）受到《周易》和易學的影響極深，他曾經是六祖慧能的沙彌，後來跟隨慧能的高弟行思禪師二十三年，最終成為一代高僧。他是廣東高要人，學成後跑到湖南省，在恆山腳下弘揚禪宗。他博通三教之學，所以對《易經》有深切的了解，對《周易參同契》更有深入的研究。受到這兩本經典的影響，他撰寫了和魏伯陽所著《周易參同契》同名的五言偈頌《參同契》，全文只有兩百多字。寫作原因是禪宗主要講「理」和「事」，但禪宗分南宗和北宗，北宗繼承了楞伽師的傳統，着重事相的執着，南宗則受了般若空宗的影響，着重義理的圓融；前者自然發展成為神秀的注重「漸修」，後者自然發展成為慧能的注重「頓悟」。因此禪的南北宗當時為「漸修」或「頓悟」大起爭議。其實一注重事、一注重理，各有偏重，都有所偏。希遷禪師深受《周易參同契》書名和其內容的影響：《周易參同契》書名的「參」字，意指內容摻雜《周易》、黃老、爐火三家不同的思想體系。這「參」字跟禪宗講的「不迴互」很類似（「迴互」即是互相貫通，而「不迴互」，則是說天地之間的萬事萬物都分別各自有其道理）；而《周易參同契》的「同」字，就是指融合了《周易》、黃老、爐火，將三個不同的學問體系融會貫通，以成一家之說。所以「同」即迴互，即在萬殊諸法之中，統歸於一元，最後回到同一結果。因此他這篇五言偈頌，最大的目的是將禪修北宗的「漸修」、南宗的「頓悟」調和為一。「契」是切合、實踐。原本「參同契」三個字的意義如上所說，他受到啟發後，結果用來融會儒釋道和禪宗的南北宗之說。

《周易參同契》特別注重《坎》、《離》兩卦，如果以陽爻象徵光明、陰爻象徵黑暗的話，經卦《坎卦》上下是陰爻，中是陽爻，象徵暗中有明；《離卦》上下是陽爻，中是陰爻，象徵明中有暗。六祖的《壇經》有「三十六對」，其中有「明暗之對」，就是通過「明暗」來說明事和理、內和外、迴互和不迴互等等不同的義蘊的。希遷接受了《周易參同契》所講《坎》、《離》兩卦產生萬物，及推動宇宙事物規律變化的說法，更用了《坎卦》暗中有明、《離卦》明中有暗、明暗是一內一外關係的寓意，引申說「明」是講理，「暗」是講事，「明」是迴互，「暗」是不迴互，「明」是心，「暗」是物，將許多禪宗關鍵的觀念通過「明」「暗」作為象徵解說。他這篇著作對後來曹洞宗理論的發展有密切關係，尤其是他說「當明中有暗，勿以暗相遇，當暗中有明，勿以明相睹」。意指當見到明中間有暗，不要偏於暗，當見到暗中間有明，不要偏於明，明暗各相對，有明就有暗，互生互藏，「明暗各相對」，「比喻前後步」，行第一步是明，第二步便是暗，行路一定是有明有暗，因此明和暗都是不能缺少的，是互相推動、互相存在，不能有所偏廢。通過這些，給南北宗注重事、理或漸修、頓悟從高層次作出理論上的調和。

此外，《周易參同契》用了月亮的明暗來指導如何煉內外丹，還有用了《離卦》代表修煉中的「神」，用了《坎卦》代表修煉中的「氣」（丹道修煉精氣神，精藏於氣中），於是希遷同樣用了《參同契》所講的《坎》、《離》兩卦作為禪修的各種不同層次境界的描述。他的徒孫曇晟禪師繼承了希遷禪師「即事而真」的精神──「真」是講最高之理，意指任何不同的事，背後都反映了一個基本的佛理，為了發展希遷祖師所講之理，他撰寫了《寶鏡三昧歌》，改以寶鏡作為譬喻，「汝不是渠，形不是影，渠即是汝，影即是形」，面對鏡子，鏡中就出現你的影子，影子不是你，影子也是你，其意是鏡子只是反映了你的部份，所以不是你；但是局部可反映全體，套用今天「全息學」的說法，物件打碎了，但其中任何一塊碎片都反映了全體的真相，《易經》和易學就是闡釋、發展這門學問的。而佛家也說「一花一世界，一葉一如來」，亦即最微小的物件可展現全體的真相，所以影子雖然不是你的全部，仍然是你。因此寶鏡就說形和影分別是全體和部份，但部份其實也是全體，所以各種的理（萬理）最後都歸於一理，這仍是希遷禪師想要說明的理論。這首四言偈頌《寶鏡三昧歌》，較之其他禪宗著作更為難讀，由唐朝一直到明朝的玄嚴大師的註解，都不能得到真髓，要到了清初的行策禪師才真正解說明白了。《寶鏡三昧歌》其中一段：「如（重）離六爻，偏正迴互，疊而為三，變盡成五。」這裏，曇晟禪師覺得兼以《坎》、《離》兩卦來說是多餘的，單用《離卦》已足夠。因為《離卦·象傳》認為《離卦》有「重明以麗乎正（能附麗正道），乃化成天下（就能教化天下之人）」之義，他由此得到靈感，如通過《離卦》之理來闡揚禪宗的禪理，這禪理就可化渡天下芸芸眾生，作用一如《離卦》。因此他注重《離卦》。《離卦》的明是從裏面產生的，要「明」真正發揮作用，須從內明擴展到外面（外明），《離卦》象徵光明在外，但更須將光明收斂到裏面，令到裏面陰爻的暗也因外面的明而改變為明，裏面明即內明是佛理之明，所以佛教講「內明」。每個易卦六爻本來分別象徵天地人三才之道，他卻改而把《離卦》初二兩爻象徵般若、中間三四兩爻象徵法身、上面五上兩爻象徵解脫。由下而上，通過般若得到法身，到了上九，本來陽爻象徵光明，這裏引申象徵禪宗的事和理光明透徹、明明白白，得到圓融的發展（事理圓融的解決），但五爻為陰，象徵黑暗，則是理和事的泯合，那就達到禪宗修煉的最高境界，叫做「真空妙有」的境界。由此可知，曹洞宗和後來的雲門、法眼宗，為了要解決希遷禪師乃至曇晟禪師的一系列著作所講的禪理，一定要對《易經》尤其是《坎》、《離》兩卦的意義徹底了解並作出發揮。由此可見《坎》、《離》兩卦，對中國的佛教，尤其是禪宗，影響也是非常深遠的。

最後要說的是：《乾》、《坤》兩卦在《文言傳》和《繫辭傳》甚至馬王堆出土的《易傳》等經典中有深入的發揮，但《坎》、《離》兩卦在文獻中尚未見有系統的著作加以全面闡發，這一點有待我們和後人的努力了！

【第十一講】咸卦

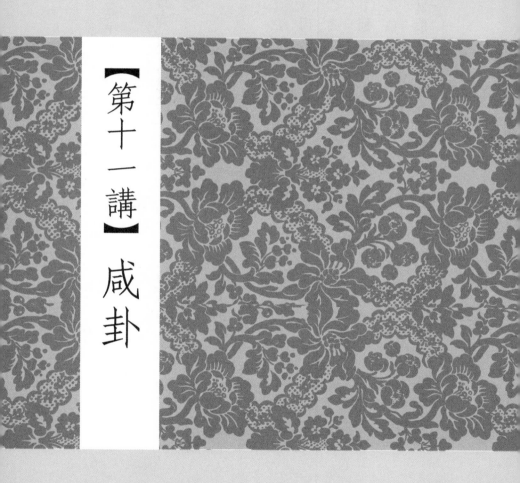

(艮下兑上)

《咸》：亨利貞；取女吉。

《彖》曰：《咸》，感也；柔上而剛下，二氣感應以相與。止而說，男下女，是以「亨利貞，取女吉也」。天地感而萬物化生，聖人感人心而天下和平；觀其所感，而天地萬物之情可見矣！

《象》曰：山上有澤，《咸》；君子以虛受人。

初六，咸其拇。

《象》曰：「咸其拇」，志在外也。

六二，咸其腓，凶；居吉。

《象》曰：「雖凶居吉」，順不害也。

九三，咸其股，執其隨，往吝。

《象》曰：「咸其股」，亦不處也；「志在隨人」，所執下也。

九四，貞吉悔亡；憧憧往來，朋從爾思。

《象》曰：「貞吉悔亡」，未感害也；「憧憧往來」，未光大也。

九五，咸其脢，无悔。

《象》曰：「咸其脢」，志末也。

上六，咸其輔頰舌。

《象》曰：「咸其輔頰舌」，滕口說也。

卦名闡釋

「咸」有三個意義，第一是俱也、同也，即在一起、共同，「咸」不是一個人的事，是兩個乃至無限那麼多的人都有的共同想法和做法。第二個是和也，即和諧。因為凡是感應，就要具有普遍性，不應單獨影響一個人，而是要影響很多事物。例如佛說小石子投進河水裏，或手伸進水裏，再抽出來，整個海洋的水都會因此而震動。這個說法聽起來好像不合常識，但在理論上是站得住腳的，因為水波可漫衍到無限那麼遠，只不過我們看不見罷了。「感應」不是西方式的鬥爭，「鬥爭」是易學所不採取的，易學思想講「和諧」，事物融洽地形成一個整體，不是想毀滅對方，而是互相協調，相反而相生，例如五行中的水剋火、金剋木之類，其實不是鬥個你死我活，而是剋中有生。例如樹木無限生長，用盡了木本身的資源，樹木就永遠消失於人間。而秋金是肅殺之氣，當農作物發展到適當的成熟度，就限制它不可以繼續無限度地生長下去，這就是「剋」。結果它被逼由增長變為收縮，用外殼來保護自己，不受金氣的侵襲，這就形成了各種農作物的果實，古代叫做「斂花成實」。植物沒有用盡它本身的資源，明年就可繼續生出新的幼芽小苗。因此這種剋是節制它，抑制它過份的發展，令到它的發展合乎正常。正如父母為了教育子女成材，有時不得不打罵子女，是可以甚至是應該的，子女得到管教，才會懂得怎樣做人。同理，老師嚴格地督促學生學習，學生將來才可成材。今天不特是慈父慈母多敗兒，教師也受到輿論的影響，不敢做嚴師，就是不懂得以剋為生之道。第三個意義是《雜卦傳》所說的：「咸，速也；恆，久也。」意指《咸卦》的感應是很快速的；但緊接它的《恆卦》所說的感應則建築在夫妻長久的相處上。《咸卦》是說少男少女的感情，感應很快，一見鍾情是常見的；但《恆卦》指結為夫婦後則有道義責任，應該白首偕老方為美事，所以重在長久。古今都對「咸，速也」作「速」字沒有異議，惟獨陳鼓應教授在《周易今註今譯》中說應是「通」字之訛，是暢通之義。這個說法很好，但他忘記了《雜卦傳》以相反取義，《咸》、《恆》是一對綜卦，其中《恆卦》既是說夫妻關係之長久，則《咸卦》和它相反之義應是迅速，這才合乎整篇文章以相反相成立義的寫作宗旨。

以上三個解釋都應包含在《咸卦》的意義中。因此在說到「咸」的時候，咸就是感，只不過，「感」是有心之感，可能出自私心；「咸」是無心之感，便可能廓然大公。但並不是單獨一個人、物、事孤立地就可說感應的，如從易學的立場來說，由於「孤陰不生，孤陽不長」，單只有陰或單只有陽是沒有感應的，只有陰和陽同時的此感彼應，互相連繫在一起才有感應。萬事萬物和人類的感應更是彼此雙方或多方發生的，所以「皆」是感應的重要條件之一。如兩者變成敵對的話，不可能稱為「感應」，因此彼此協調、分工合作，組成更高層次的事物就叫做「和」。「感」會通過彼此激發，使到所得效果較之單獨去做更好。另外，感應可以很迅速得到反應。以上三層意義有助深入了解《咸卦》的義蘊。

《咸》：亨利貞；取女吉。

「《咸》：」

指《咸卦》。

「亨利貞；」

句讀也可讀作「亨，利貞」。句讀如採後者，「亨」象徵亨通，一切事情順利發展，但如要得利，須守貞固之道；句讀如採前者，那就象徵「元亨利貞」的三種德性。為甚麼沒有「元」呢？因為只有《乾》、《坤》兩卦才有乾元、坤元。《乾・彖傳》：「大哉乾元，萬物資始」，《坤・彖傳》：「至哉坤元，萬物資生」。它們都是說乾天坤地創生之始，所以才用「元」字。如以「元亨利貞」象徵天地的四德，那《咸卦》就只有其中三種德性。

「取女吉。」

「取」即「娶」，娶妻子，兩字古代可通假。整句是說如與這位女子結婚，是吉祥的。引申，如果是占問婚姻，這是個吉祥的卦。這是文字的原義，後來則引申到更高的哲學意義去。

《彖》曰：《咸》，感也；柔上而剛下，二氣感應以相與。止而說，男下女，是以「亨利貞，取女吉也」。天地感而萬物化生，聖人感人心而天下和平；觀其所感，而天地萬物之情可見矣！

「《彖》曰：《咸》，感也；」

《彖傳》解釋說：「《咸》」的字義就是交感，「交」即互相，凡有感即有應，然後應又產生感，感再產生應。例如物理實驗室裏的音叉，如敲擊某一支音叉，再把它放在其他音叉中間，突然間其中一支會「嗡」然發聲震動，產生共鳴共震的現象。又或者號召群眾去進行一件崇高偉大的事，而得到人們的響應、追隨。領袖的作為是「感」，追隨者就是「應」，他們的響應令領袖（「感」）得到鼓舞，於是更擴展加強他的「感」，而接受了他的號召的人也會影響更多的人去追隨，於是感和應從簡單的兩者開始，第一是感應加強了，第二是這種感應影響了其他人。由此引申至萬事萬物，結果整個天地的萬事萬物就變成了互相感、互相應，大家息息相關，在這感應的環境裏面形成了一個完整的整體。於是宇宙規律的變化、人類規律的變化就由於正常合理的感應而形成合理的規律，使宇宙的發展永恆地延續下去，使人類社會享有正常合理的生活，使每個人能持續地發展。因此宇宙人生之所以形成、之所以有變化，是整個宇宙萬事萬物複雜到極點的感應所形成。其實《易經》最高的原理之一就是說感應之理，所以《彖傳》說明《咸卦》講的就是「感」。天地以「氣」感應萬物，聖人以「心」感應萬民，我們以「情」感應別人等。

「柔上而剛下，」

這是先從卦體來解釋：《咸卦》的上卦是《兑卦》，下卦是《艮卦》。《兑卦》二陽一陰，是陰卦，陰為柔，便是「柔上」；相反《艮卦》二陰一陽，是陽卦，陽為剛，便是「剛下」。所以說柔卦在上，剛卦在下。這一句另有別解，見後。

「二氣感應以相與。」

嚴格來說，「二氣」應是指山和澤二氣，因為《咸卦》的下卦《艮卦》是山，上卦《兑卦》是澤，也就是《說卦傳》所說的「山澤通氣」，後來引申，才指陰陽二氣。「與」是親與，即親密無間，互相來往。指二氣此感彼應，互相聯繫在一起。《說卦傳》所說的「山澤通氣」，是沼澤的氣上升，形成山中雲霧；反之，高山隨着清晨或黃昏氣候寒溫的變化會造成山風或向上、或向下吹動。居住在山區的人最明顯感到早上一種風向，晚上是相反的另一種風向，古代稱為「谷風」，《詩經》有兩首詩都以此為篇名，到了今天，地理學仍用這個名詞。所以它說山風向下吹，與沼澤連繫。山和沼澤兩個形體雖不能相交，但山氣和沼澤之氣可以相通。進一步提升，可以說它們是陰陽兩氣的感應，凡上升的氣就是陽氣，凡下降的氣就是陰氣，沼澤的氣上升就成為陽氣，山風下降就成為陰氣。在易學來說，陽為主導，陰追隨、順從，陰須要順從陽才能發揮它的合理作用。而在感應之中，主導者是陽，追隨者是陰，所以是陽感陰應。這是衡估《咸卦》六爻好壞得失的原則之一。

「柔上而剛下」一句，東晉蜀才首先提出了這是說「變卦」，說出了在此之前這卦應是《否卦》，即是說《咸卦》是由《否卦》變來。《否卦》是乾天在上，坤地在下，但陽的性質向上，陰的性質向下，因此這兩個卦雖則表面六爻相應，但陽卦在上，仍依本性上升；陰卦在下，仍依本性下降，兩者遠離，彼此之間其實並無感應。由於陰和陽都是單向發展，陰陽互無感應，於是整個世界的事物陷於停頓、否塞不通。因此《否卦》是個不好的卦。蜀才說現在《否卦》的陽爻上九降至三位，下卦《坤卦》就變成《艮卦》，而原在三位的陰爻被逼上升至上位，上卦就由《乾卦》變成《兑卦》，於是整個卦變成《咸卦》。原本的《否卦》陰陽不通，現在由於柔爻上升（由此可知「柔上」的「上」字蜀才讀作去聲，作動詞用）、剛爻下降變成《咸卦》，陰陽便交感、相應了。

《彖傳》所講的變卦，共有十八個卦，但蜀才只強調了其中六個：《賁卦》、《蠱卦》、《咸卦》、《恆卦》、《既濟卦》、《未濟卦》。為何有變卦？變卦的規律是怎樣的？直到北宋蘇軾在《東坡易傳》（或稱《蘇氏易傳》）和程頤在《易程傳》中，才將這個問題說清楚，尤其是《東坡易傳》以為變卦不是說形成這個卦之後如何發展變化，而是說形成這個卦的所由來；另外，《彖傳》所講的變卦，都是從《乾》、《坤》變出來的，例如《否卦》是上《乾》下《坤》，《泰卦》是上《坤》下《乾》，由《泰》、《否》兩卦變出十八個卦；第三點，它們上下卦之間都是一爻的變動，即陰爻上升、陽爻下降，這是變卦的規律。東漢虞翻所講的「變卦」則認為《乾》、《坤》兩卦變出十二辟卦中的其他十個卦，然後其他五十二個卦都是從這十個辟卦變出來的，但在虞翻所講的變卦中，有十八個不符合他自己所講的規律。宋代李之才繼承其說，仍然解決不了問題。

變卦其實有不同的種類。例如春秋時期，占筮到的卦中有變爻，就會從「本卦」及由變爻所成的「之卦」去判斷未來的吉凶，更會以變爻的爻辭作為判斷標準。那是最原始的變卦，叫做「之卦」。因此變卦是一個複雜的問題，在此不能詳述。

蜀才所提出的《彖傳》那種變卦，在這裏說得特別好，原因第一點，說出是陰陽爻的交會，象徵着變；第二點，卦中三、上位置相應，更能將《咸卦》陰陽互相交感的內含意義通過變卦表現出來，兼且將「二氣」確定在於陰陽變動，較「山澤通氣」更準確地說出陰陽兩氣的交感形成《咸卦》的關鍵內容。

這裏既然說到二氣推動萬物的交感，從人類的觀點，交感要彼此有心，而宇宙是無心的，從人類低層次的交感提升到整個宇宙的高層次的話，仍說是心的感應，就容易犯駁了。所以卦義明明是說「感」，但用了「咸」字，就給予後人無限解釋發揮的餘地。可能古代「咸」字等同於「感」字，「咸」、「感」只是古今字，但為甚麼叫《咸卦》，不叫《感卦》？從字形比較，「咸」字是無心的，而「感」字是有心的，當「咸」變成「感」的時候，就成了有心之「咸」即「感」了。「心」是人類自我之心，是私心，為了一己的利害、憎恨或喜愛所形成的想法與某些人感應，那就不是「咸」。真正的「咸」是無心之感，即沒有個人私心之感，有如天地萬物之間的感應，是自然而然，自動產生的感應，並沒有懷有目的或預期會有甚麼良好結果。有心之感是精神、思想已專注於某件事物上，其他事物都視而不見、聽而不聞；或者對某事充滿成見，只見其壞處，不見其好處；或在戀愛之中，只傾慕對象的優點，不見其缺點等。這些例子都是由於心已為其他事物所佔據了，形成了偏見、執見，結果如有感，也是局部的、有限的，甚至有所偏差。無心之感是沒有個人的偏愛，沒有祈求。當精神、思想在最寧靜安詳的狀態中，能夠感受得更全面，所以最微小的聲音也聽得見，事物最小的變動也能察覺，感應就能遍及萬事萬物。宇宙就是因為沒有這種個人自私偏執局限之心，然後事物之間的感應變成一個廣闊的層面，於是有感必應。人類往往偏重有心之感；而宇宙萬事萬物偏重無心之感（咸），因此宇宙萬事萬物形成此感彼應，慢慢由一擴展為二、為四，一直蔓延開去，於是整個世界連繫成一個互相影響、息息相關的整體。但人類卻因有心之感分成互不相容的一個個團體。如要「感」做到最好，《繫辭上傳》說：「易无思也，无為也，寂然不動，感而遂通天下之故」說得很好，沒有個人偏執的思慮，沒有個人偏執的作為，自己的心境達到最安靜無為的境界的時候，反而外界有任何的感，也能適當地去回應。本來《繫辭上傳》這幾句是描述蓍草的作用的，為甚麼占筮有如此神奇的效果呢？為甚麼憑藉五十根蓍草就能夠預測未來的吉凶呢？它說出蓍草本身沒有個人的思慮，也沒有甚麼個人的目的，它無心寧靜到極點，沒有主觀、沒有特別注意個別特殊的事物，反而任何的事物都在它感應的範圍之內。所以任何人通過蓍草訊問任何事情，蓍草就能根據來人訊問的內容提供正確無誤的反應，因此能準確預測未來。將這幾句話提升應用於宇宙人生，任何事物提升到最高的哲學境界，都有「感」和「應」的關係，好好掌握並發展《繫辭上傳》所說的，你就像蓍草那樣具備了智慧，就能洞察宇宙人生的奧秘。

上述「柔上而剛下」的兩種不同說法，都是從卦體來解釋「感」應之理的。

「止而說，」

這是根據卦德來解釋的。《咸卦》下卦《艮卦》的卦德是「止」，上卦《兑卦》的卦德是「說」（悦），結合上下兩經卦的卦德便是「止而說」。《艮卦》中的一陽爻即九三為主（領導），陽爻的性質是上升，所以領導整個卦所象徵的事或物上升，下面兩陰爻即六二、初六是隨從，是《坤卦》的縮寫，《坤卦》是大地，既然在上的陽爻要領導泥土上升，泥土升到極限就變成山。任何事物走到極限就會產生相反的性質。在此之前向上升是動，到了極限就靜止不動，因此山的性質是止，象徵專一、穩定、誠懇、厚重等等德性。《兑卦》的中、上即九五、上六兩爻是經卦《坎卦》的上半，可視為《坎卦》的縮寫，《坎》為水；下爻即九四為陽爻，陽象徵實，是泥土實於水之下。水被泥土所擋，沒有流失，就是沼澤之象。或者也可以這樣解釋，九五、九四即中下兩陽爻是《乾卦》的縮寫，《乾卦》是天，上中兩爻是坎水的縮寫，天在水下，是雲影天光映照於沼澤平靜水面下的景象，暗喻它是沼澤。古代人類的生活物質之中，以水最為重要，所以看到水就有欣悅的含義。但北方的水流太急，難於汲取，只有沼澤的水才易於取用，所以以見到沼澤便喜悦。

當人心靜止，便不是三心兩意，而是精神、思想、意志專一在某處，例如《大學》的「止於至善」；《咸卦》的下卦《艮卦》為少男，象徵那個年輕的男孩子只追求愛慕一位女性。在一心一意背後，反映了他對愛情的專一、誠懇、忠貞。《咸卦》的上卦《兑卦》為少女，象徵那個年輕被追求的女孩子，她感受到對方忠貞不二的愛情，樂意去接受他，這是以卦德來說明。古代雖然是男尊女卑，但在婚姻的禮制來說，則男須先以禮下女、求女。所以《艮》男降低身份在下先感，《兑》女後應，便合乎禮，合禮就合乎正道。藉此引申，說明感應最重要的是合乎正道。所以卦辭說：「《咸》，亨，利貞」。由此知道，所謂「有心之感」與「無心之感」文義本身也有語病的，應該說凡合乎感的正道的感才是最合理之感，凡不合乎正道的「感」就叫「有心之感」，合乎正道之感既是順從宇宙人生的正道而行，本身就是無為，所以說是「無心之感」。所以「有心」、「無心」是指合乎正道之心與否。這是《咸卦》的重點所在。「止而說」是說「感」要「發乎情」。

「男下女，」

組成《咸卦》的上下兩經卦，《兑卦》為少女在上卦，《艮卦》為少男在下卦。古代重男輕女，正常的時候，男應在上，女應在下；但婚姻之禮，男求女才合禮，所以男應禮下於女以求女，這就是「男下女」。

地球上的各國，古代都是重男輕女的，但在此之前的舊石器時代，則是以女權為重，人只知其母，不知其父，母親或外祖母是小集團的中心。中國直到漢朝，女權仍然很重，呂后之所以能夠掌權，跟當時女權仍重的意識尚未消除很有關係。今天的原始民族仍有以女權為重的。唐朝君主其實受到六朝胡風影響甚深，所以女權也很強，武則天能夠掌權，和唐朝之多女禍，就是因為當時的意識容許女性當權。宋朝以後，中國才真正踏進男權主宰的時代。不過比較中西歷史，宋代以後的中國較之同時期的西方仍是更尊重女性，因此在婚姻之中，男性一定要降低身份地位，處於女方之下，向女方求婚，這才合乎禮制，這才是「合乎禮」。中國古代婚姻，既須「感」「發乎情」，尤須「應」「止乎禮」！古代有所謂「三書六禮」，其中的「六禮」：首先，媒人必先代表男家往女家送贈一些禮物，女方接受叫「納采」；之後媒人代為「問名」（古代女姓的名字只有自己家人才知道，一般只以姓氏稱呼，所以男方知悉了女方個人資料，關係就更進一步了）；復次就是「納徵」（信物）、「納吉」，男方將傳家寶物交給女家作為聘禮；

等到男女雙方長大後，就是「請期」，男家詢問何時可迎娶；到了婚禮那天，男方親自到女家迎接新娘，就叫「親迎」，甚至新娘子上車之後，新郎還要拉着車子走幾步，象徵由他帶領新娘子到男家去，他再快步先回自己家中等候迎接，這才算完成「六禮」。在「六禮」的每一過程中，男方都是降低身份地位與女方打交道。在夫婦關係中，夫婦是敵體，敵體即是平等的，所以家中由正室主持中饋；內宮之中，也是由皇后決定一切，可見中國古代女權不弱，不似中古時代西方的女性飽受壓迫，所以要求男女平等，沒有西方那麼迫切。但受中國文化影響最深的朝鮮女性則地位極低，受中國文化影響頗深的日本女性也沒有地位。在地球的所有文明古國中，中國比較是最尊重女性的。

「男下女」說的是卦象。人到中年以後，感情已變得遲鈍麻木，但小孩子的感情是率真直接的，青年男女的感情是奔放的，因此說到男女之情，年輕人比年長的人熾熱，這裏就是藉着少男少女的「感」和「應」來形容《咸卦》的交感、相應。

「是以『亨利貞，取女吉也』。」

所以大家的感應是暢通來往，但是利於執持貞固之道。在這個條件時機之下，《象傳》解釋說選取這女子作為配偶是吉祥之極的事情。

「天地感而萬物化生，」

但《彖傳》不是像後世的靈籤那樣，只告訴人預測未來的結果而已。接着下來，《彖傳》要把低級的迷信提升到高級的哲理，因此就將卦辭的內容加以推廣提升。本來卦辭是說少男少女的戀愛，現在就將這種感應推展至萬物，說天地的互相交感，萬物就能氣化形生。

中國古代認為「氣」是構成宇宙的最基本物質。用了今天的西方科學勉強比附，「氣」是信息、能量、物質。所謂「氣化」，就是兩種最基本的信息、能量或物質的混合，推動萬事萬物的變化；「化」是經過「變」的過程逐漸、緩慢而「生」出來。「生」是指產生出萬物的具體不同的形狀和性質。通過「氣」的份量不同比例混合的結果，就會形成萬物。天地在《周易》這一本經典中，即指《乾》、《坤》兩卦，《乾》、《坤》兩卦互相交感相盪，演變成為六十四卦，六十四卦象徵萬物。

「聖人感人心而天下和平；」

在人類來說，「聖人」感動天下人的心，國家便會達到和平安定有秩序。因此「聖人」或者指偉大的聖人，或者指國家英明的君主。聖人的施政作為就叫「化成」。天地是「化生」，聖人是「化成」。用古人的譬喻來說，天地通過日月的照臨、寒暑的變化、風雲雨露的相感相盪，形成了萬物。聖人則利用人類所建立的合理文化和制度，使到所有人都遵循去做，於是做人有了合理的準則，社會就不需要嚴刑峻法，自然人人能守法，過着幸福安定的生活。聖人以此感動人心，他的思想必須合理，感人心必以正。因此在上者感人不是易事，自己要具備真正的誠信。當在上者失去誠信，無論他怎樣說為人民着想，也不會有人相信。

「觀其所感，而天地萬物之情可見矣！」

「萬物」已包括人在內。在這裏，情和心的意義差不多，但層次不同，對天地用「心」字，對萬物用「情」字，都是指感應而言。細心觀察萬事萬物之間的感應，可見它們互相聯繫、互相影響。大家無心去感、無心去應，但卻自然達到最合理的感、最合理的應，然後整個宇宙不需要任何主宰，就能合理正常地協調運作，組成一個莊嚴偉大、和平共存、和諧的世界。

以上是《彖傳》對卦辭的解釋和發揮，它已不是單純講少男少女間熱烈的愛情，而是擴展到世間任何事物都有感和應的關係；《易經》所闡發的哲理，「感」是其中極重要的一項。

《象》曰：山上有澤，《咸》；君子以虛受人。

《大象傳》解釋《咸卦》卦象的含義，說：下卦是《艮卦》，象徵山在下；上卦是《兑卦》，象徵澤在山之上，兩經卦組成別卦《咸卦》的卦體。體會兩經卦結合後所表現的天地規律，降低為人類的規律，上至統治者、下至普通人都可遵守應用的規律，就是「以虛受人」。

《彖傳》講「感」，《象傳》講「受」即應，一感一應，補足卦的義蘊。「感」要合乎正道，「受」要能夠虛心。兩《傳》的意義互相補充：感應之道，所重在「貞」，守持正道，就能夠思想行為順乎理，沒有個人的偏執、私慾。而沒有了個人的主觀、偏執、私慾，就能夠虛心，心（思想）既虛，就能夠接受外來的思想事物，所以能「受」就能「感」。「感」之後又回歸到「虛」，那麼本卦初、二、三、五、上五爻偏於動和四爻偏於靜的過咎情況便可減輕了。明白貞和虛的關係，就知道虛是心的本體：明白了虛和感應的關係，就可以明白心的作用了。

為何有此卦象？山上有澤，即是說山上有些地方下陷中虛，可容納水成為「蕩」、「湖」、「沼澤」或「池」等。這類沼澤的水會慢慢從山上滲進山中，流至山下，因此沼澤的水能與山相通；由於相通，山氣就可以上升變成雲霧，雲霧變成水，下降為雨，於是沼澤又會得到雨水的補充而注滿。沼澤和山因此是一感一應。這種現象的產生是由於山體的虛空，因虛而能容納萬物。所以要能夠「受」、能夠「應」，關鍵就是「虛」。在人類來說，是沒有成見、沒有預期先定的後果、不堅執某些東西。能夠如《論語．子罕篇》所說：「子絕四，毋意、毋必、毋固、毋我」便能夠「虛」。這是說孔子的為人，有四事一定不會在他身上出現：一是個人胡亂臆測；二是絕對肯定某些思想或事物；三是堅持固執，不能變通；四是主觀、唯我獨是。沒有以上四點，就是無心，就能廓然大公，無所繫累，來者不拒，而萬感都暢通了。這便是君子應體會《咸卦》卦象所進行的進德修業之所在了。

因此這裏所說的「虛」，是暗中回應卦辭「亨利貞」的「貞」，能夠貞才是真正虛心，因為「貞」就是由宇宙的自然規律變成人生規律。因此遵守人生的正確規律，就是遵從自然規律而實踐了。

初六，咸其拇。

「初六，」

「初」指爻位最下，「六」指它是陰爻。

「咸其拇。」

「咸」是感動；「拇」今天指手指，古代則是指腳趾。整句是說腳的大趾受感而動。

這爻和其他五爻都是以人體作比喻，較為具體，易於明白。六十四卦之中，以人體比附的卦，還有《艮卦》，只不過《艮卦》的卦義是止，《咸卦》的卦義是應，兩者有所不同而已。初爻是從腳下開始，上爻則指上升到頭部。從這點可知，寫於三千年前的《周易古經》早已有了以六爻位置的高低來象徵空間高低的觀念。其實《周易》的第一個卦《乾卦》，從第一爻的潛龍一直到五爻的飛龍，以至上爻的亢龍，已是反映了地位的高低和空間的上下；此外，《乾卦》六爻象徵人的一生，從小時學習，接着出仕，一級級升上去，直至九五為君主（泛指一生事業發展至最成功的黃金時代）。在卦爻由下而上的過程中，象徵人由少年到老年的一生，因此亦包含了時間的觀念在內，由此亦寓卦爻空間和時間是融合交織在一起的。初爻象徵地位最低、時間最初，從《咸卦》來說，是最初開始的感，從腳大趾開始。當腳大趾受感而動，究竟想感動哪個呢？由於初爻與第四爻相應，所以想感動的是第四爻。

《象》曰：「咸其拇」，志在外也。

《小象傳》解釋爻辭「咸其拇」，說：腳的大趾現已心志（「志」）向外，想與在外的事物相感應。外指外卦，即上卦。初爻與四爻相應，因此「外」傳統解釋指第四爻，第四爻在上卦，引申可泛指一切外界的事物。其實在六十四卦中，有八個卦是六爻相應的：那便是《泰卦》、《否卦》、《咸卦》、《恆卦》、《損卦》、《益卦》、《既濟卦》、《未濟卦》（《否卦》和《未濟卦》表面六爻相應，但受到卦時的影響，其實並不相應）。為何挑選了《咸卦》作為感應的例子呢？如說因為少男少女的感情最為熱烈，《損卦》也是少男少女的組合，但它卻是男上女下，違背了男下女、男為主宰女為追隨的規律。《咸卦》是講一剎那的熱情，而《恆卦》是長男長女的組合，說的是結婚後夫婦之間的感情應是恆久不變的，不能像年輕男女般易變，對婚姻的承擔講求道義、責任，較愛情更為重要。《益卦》也是長男長女的組合，但家庭中一般以男為主宰，而《益卦》是女上男下，是女為主宰。凡是講愛情感應，不能以女方為先導，女方應採取以靜待動、以逸待勞的愛情戰術，那才顯得高貴。在中國古代，凡選擇淑女，都需由男方為主動；但現在初六是陰，陰是女性，就是象徵女性主動去「感」，希望九四的男子回「應」，這就違背了易學男先女後的次序，那豈不是應出現「凶」、「悔」、「吝」的判斷辭嗎？但是沒有，原因是腳趾的動只是極小的動，換言之，亦可以這樣說，內心思想要有所行動，但身體還沒有行動，只是拇指先有微動而已，除了自己心中知道，其他的人並沒有發現，亦即尚還沒有真正行動，這種情形叫做「幾（機）」，是事態發展之先，所以吉凶未明顯出現，只是有吉凶的趨向和可能性而已。所以未來的禍福是自己的行動決定的，現時未能作出判斷。

六二，咸其腓，凶；居吉。

「六二，」

「六」指它是陰爻，「二」指由下往上數處身第二爻位。

「咸其腓，凶；」

「腓」是小腿肚，小腿肚不能夠自動，要足動它才能夠隨着而動，另外，它也不能自己要停止便停止。動靜不能自己控制，而現在竟然要自己動，便是躁動，躁動自然是凶險的事。

「居吉。」

「居」是靜止處於家中，但也不是完全不動，只是需要靜止等待適當的時機才動，那就吉祥了。從感應之理說，陰的性質是靜止的，怎能違背本性先去求陽呢？因此陰先動便違背了陽先陰隨的規律。本來陰爻在二位是得中得正，和九五正應，在其他卦是大吉大利的，但在這個卦則是例外，原因在於「卦時」。只要一個卦未變成另一個卦，它的「卦時」就控制着六爻的一切，那是最高的原則，遵從則吉利，違背則不吉。卦時說「利貞」，即執持合理的感應正道才是吉，感應的正道是陽感陰應，不是陰感陽應，違背了這原則就是違背了感應最高的原則，但由於它本身得中得正，因此能夠虛心，具備了《坤卦》最美好的德性，《坤卦》六二：「直，方，大」，這是說陰爻在二位因順從陽而得到「直」和「大」的德性，在《咸卦》也是如此，二爻想與九五相應，但由於擁有這種德性制止了自己，所以等待陽來求自己。

這一爻可演變為多種不同的人際關係，因為它的應是九五，在古代可演繹為臣子和君主的關係，今天則可能是下屬和上司的關係，再引申則是尊卑上下的關係等。如單講少男少女的交感，在戀愛的過程之中，最重要的是女子不能先去追求男子，要像《孫子兵法》所說：「先為不可勝，以待敵之可勝」，先鞏固自己，令敵人不能攻破，再找出敵方的弱點，然後等待敵人不能進攻時，針對其弱點反攻。以逸待勞、以後為先，這是女性在戀愛中的最佳策略，如急切地主動展開追求就是凶。這一爻有吉亦有凶的可能性，躁動就凶，靜靜等待適當的時機才行動則吉，得到哪一種結果是由自己的想法和做法決定的。可見三千年前的《周易》已着重個人主觀意志的決定，有時即使預測的結果是凶，只要改變行為，也會化禍為福。《咸卦》的初爻沒說吉凶，第二爻則說出吉凶由個人行止決定，這便是春秋時人所說的「吉凶由人」。人為力量的重要性在三千年前的《周易》中已說得很清楚，在占筮迷信之中已顯現出智慧。

《象》曰：「雖凶居吉」，順不害也。

《小象傳》解釋：雖然在正常的情況下，六二卦象是「凶」的，但如能秉承這一爻的德性，遵守《坤卦》等待陽（「居」）、順從陽然後有所行動的關鍵原則，結果就是「吉」祥了。至於「順不害也」，是指「順」從宇宙陰陽的正理和感應的正理，那就不會有任何災害。相反，違背了《咸卦》的關鍵原則，當然就是凶了。

九三，咸其股，執其隨，往吝。

「九三，」

「九」指它是陽爻，「三」指由下往上數處身第三爻位。

「咸其股，執其隨，往吝。」

「股」是大腿，大腿也感動了；「執」是堅持，「隨」是跟隨；「往吝」，如果前往或有所行動，便成為羞恥的事了。這是名譽（和知識、道德、行動有關）的損失，不是實際的損失，但對很多深受中國傳統文化影響的人來說，可能認為名聲受損較之實際的損失更為嚴重，正如《論語．衛靈公》孔子所說的：「君子疾沒世而名不稱焉。」

這一句的解釋古今爭議很大，究竟「隨」字何所指？如因九三與上六相應，那它追隨的應是上六。如果參考《隨卦》卦義，它的六爻往往是下爻追隨上爻，這卦便應該是九三追隨九四。康熙時李光地主編的《周易折中》還特別下了個按語說：程頤的《易程傳》說是跟隨上六，朱熹的《周易本義》則說是跟隨初六和六二，他說根據《隨卦》的體例，認為：「則以三為隨四者近是」。他並沒有採用教導順治的《日講易經解義》的說法。在那本書上，說「隨」有陽隨陰和陰隨陽的分別，陰隨陽則吉，例如《隨卦》即是；陽隨陰則不吉，例如《咸卦》。因為：「以陰隨陽，則獲上而得其志，理之正也；以陽隨陰，是捨高而就卑，捨貴而從賤，志降身辱，其愆於理，不已甚乎？」這是說《咸卦》的九三是陽爻，卻追隨在下的兩個陰爻初六和六二，是「所執下也」，因此《周易本義》的說法較合理。後來乾隆御纂的《周易述義》也不採用《周易折中》的說法。因為九三是指大腿，動的是身體的下面部份；《小象傳》更用了個「亦」字，指初六和六二均想躁動，九三「亦」跟隨它們一起動。九三本來屬陽，和陰的性質不同，為甚麼說跟隨它們一起動呢？陰表面上的性質是靜止，但《易》學的道理是物極必反，因此凡是陰，可分為兩個情況：真陰是靜止的，盛陰或假陰反而會動，古人稱之為陰的「躁動」，所以初六和六二都是躁動。下卦為《艮卦》，卦義為止。所以初六、六二、九三都應止而不動，九三動到極點而穩定下來，為靜止之主，應率領六二、初六二爻靜止不動才是，但竟然「亦」跟隨陰爻而躁動，用「亦」字的原因就是出於此！這是可羞恥的。違背了經卦艮「止」之義即不順，初爻、二爻已違背了卦德的「止」，三爻是卦中的卦主，它應發出「止」的命令，而它現在竟然跟着躁動，亦是違背了卦義，所以得到可羞吝的判斷辭。

《象》曰：「咸其股」，亦不處也；「志在隨人」，所執下也。

「《象》曰：『咸其股』，亦不處也；」

《小象傳》解釋說：大腿產生「感」，亦追隨初六、六二而動；「處」是居於家中、尚未出來工作（「處士」即是指有能力出任官職、但未有官職賦閒在家的人），引申即靜止不動。因此「不處」即不靜止，即是躁動了；「亦」是指跟隨初爻、二爻一樣，不肯留在家中。

「『志在隨人』，所執下也。」

本來「拇」和「腓」不能自動，只能跟隨「股」而動，現在相反，「股」卻跟隨「拇」、

「腓」而動，這是不合理的。本來陽為領袖，陰為追隨者，三爻為陽，是初、二兩爻的主宰，竟然不發施號令，淪落至跟隨陰而動，「所執下也」，它所執持的想法是卑下的。因為是卑下，所以是可羞恥的，雖然未有吉凶，但知識上、行動上、事理上的錯誤決定，在人格、道德、學問、判斷上是可羞恥的，有時較之「凶」更為不堪。

九四，貞吉悔亡；憧憧往來，朋從爾思。

「九四，」

「九」指它是陽爻，「四」指由下往上數處身第四爻位。

「貞吉悔亡；」

卦中其他各爻，都明確指出是身體的拇、腓、股、脢、輔、頰、舌相感，只有這一爻沒有指明，但按照位置，正當心位。本來是心位，卻不明指，暗喻有心之感，感就會累心，即心繫於私，出於私心，就可能有悔。所以感利於貞，貞依正道而行，便無私心。

無心於感，便無所不通，所以無悔。「貞吉悔亡」是判斷辭。《周易》的體例，通常先講卦象，從卦象明白禍福吉凶之後，最後才說出判斷辭，這裏是個較少見的例外。但同樣把「貞吉悔亡」放在最前面的卦總共有四卦，《咸卦》之外，還有《大壯》和《未濟》兩卦也同樣出現在第四爻，另外一卦是《巽卦》，則出現在第五爻。在這一句裏，「貞」是貞固；「吉」，堅持貞固之道就得到吉；「悔亡」的「亡」字即「無」字，沒有後悔的事情。《周易》有時講「有悔」，意指如做這件事情一定有後悔的結果，一般是事前的警告；「悔亡」是說如做這件事，之後就不會有後悔的事，說的是事後。

「憧憧往來，朋從爾思。」

「憧憧往來」是心神不定，思想來回反覆。

「朋從爾思」，「朋」字在古代有兩義，第一義是指貝殼，可能中國古代遠離海濱，貝殼是值錢東西，所以在商代，貝殼用作貨幣。

甲骨文「朋」字

新派易學家例如李鏡池的《周易通義》、張立文的《帛書周易註譯》、鄧球柏的《帛書周易校釋》等都採此義，但宋祚胤《周易譯注與考辨》已在這句的按語中說：「《周易》中的朋，除《損卦．六五》和《益卦．六二》外，沒有作朋貝講的」，所以這一解釋不可跟從。

第二義是鳥雀的名稱。

篆文「朋」字或「鵬」字

它的字形像鳳凰的尾巴，亦即「鵬」的通假字，由「鵬」變「鳳」源於古今字音的變易。「鵬」是p聲，「鳳」是f聲，古音b、p、v聲後世往往變為f聲，例如「剛愎自用」的「愎」字讀b聲，其實b是原來的字聲，「愎」字不及「復」字多用，所以後來「復」改成f聲。由此可見，鵬鳥即鳳凰。傳説中鳳凰是鳥中之王，出現時百鳥跟隨，跟隨者引申為朋友、朋類。魏代的王弼、宋代的程頤、朱熹等都據此義發揮，義理更深，應遵從。朋字進一步引申，「同門曰朋，同志曰友」，「同門」即同學；而有共同志趣的叫做「友」。「友」是兩個「右」字、亦即由兩隻右手組成。

篆文「友」字

一般人慣用右手，用右手表示全力幫忙，這是朋友之義。九四爻「朋」字之義是朋友，進一步引申指同類相關的人、事或物。九四與初六陰陽相應，象徵少男（下卦《艮》象徵少男）少女（上卦《兌》象徵少女）的相應，初六「咸其拇」只是腳大趾微動，象徵女方矜持，只是微微動心，要追求她是不容易的，所以令到男方心神不定、輾轉反側，但因為九四是陽爻，具備了剛毅誠懇的性格，因此秉承了精誠專一的心志去追求這個貞靜的女子。這種美德最終感動了初六的女子，她悅而應，最後結成眷屬。「朋」是指初爻女子；「爾」是指四爻男子。占筮說：「你追求的女子終於如你所願，接受你的要求，和你結合。」這種結果在論及俗世姻緣而言可算是很不錯的；但感應的範圍應包括天下所有的人物，才能展現出心量的闊大，所以《小象傳》就藉此發揮說在全人類之中，只對一個女子精誠專一，就不能稱為偉大了。

《象》曰：「貞吉悔亡」，未感害也；「憧憧往來」，未光大也。

《小象傳》解釋說：爻辭指堅持貞固之道得吉沒有後悔，是「未感害也」，即沒有因和正道感應而產生害處。

但感應用於私愛，對象單一，不明白感應只要順乎自然之道而行，自然就會達到美好的後果，只是勉強地通過個人努力來希望達成後果，這種想法是心量不夠廣大的。

這卦要學習的是應從小感小應擴展為大感大應。孔子在《繫辭下傳》中對此有所發揮，他從本卦「取女吉」的狹義男女交感之道，擴展為萬事萬物交感之理。他說：「天下何思何慮？天下同歸而殊途，一致而百慮，天下何思何慮？日往則月來，月往則日來，日月相推而明生焉。寒往則暑來，暑往則寒來，寒暑相推而歲成焉。往者屈也，來者信也，屈信相感而利生焉。尺蠖之屈，以求信也，龍蛇之蟄，以存身也。精義入神，以致用也，利用安身，以崇德也。過此以往，未之或知也，窮神知化，德之盛也。」（天下萬事萬物之間，有自然感應之道，不需站在個人利害立場去考慮如何達成感應，正好比天下的事理同歸而殊途，人人走不同的途徑，但最後還是走到同一終點。由此可見，各種考慮都是多餘的。在學問上有各種不同的流派和想法，但得出的終極結論大家都是相同的。因此何必以個人的私心用於天下萬物之上，以為這樣會達到感應呢！看看天上日往則月來，月往則日來，天上最明顯可見的是太陽和月亮，它們產生的感應造成晝夜的更替，這種無心順乎自然的感應令大地產生光明，造成最大的利益。寒暑的更替同樣出於自然而然的感和應，結果這種感應形成了年月日時的產生、時間的流逝、宇宙萬事萬物的變化，這些都不是出自私心。從宇宙的觀點看，無所謂好壞、吉凶、天災，這些都只是站在人類立場的看法：萬物勉強可說有吉凶之分，例如屈伸蟲，在人類來說，屈是不好，伸展為好，但屈伸蟲如不先將身體屈曲，又怎能伸展向前行呢？「龍蛇之蟄」是說動物的潛藏，將來才有更好的發展；在人來說，你不要一心逃避災難、選擇幸福，其實沒有災難，就沒有幸福，正如沒有小時的苦讀，就不會有年長後的成就；甚至動物的冬眠，也是為了來年的春夏能蓬勃地發展。如總是避禍，一生人也就是如此默默地過去了，終其一生都不會有任何成功的可能。須知中外古今偉人一生中都是屢遭挫折，最後才成就他的偉大。人在學習的階段，精心研究宇宙人生的義理。到了真正明白這些道理到了神化的境界，早前辛苦的內在之屈，就能帶來外在理想無限的發展。利用所學到的道理，令到身體在外得到最大的安寧發展，同時便可通過道德實踐的體悟，令到內在的德性變得更崇高。天地的感應是來往，萬物的感應是屈伸；人的感應從個人來說是內外交育，結果大可影響萬物，小可影響個人，本身的行動也是互相感應，前一個行動是感，後一個行動是應，前一個行動影響後一個行動，順正道而行，所得到的應是自然而然的，不是出於追求利益幸福的自私心。能夠在來往屈伸內外之間，體會感應之理已很足夠，超過這範圍可不必理會了。深切了解宇宙人生陰陽變化的真理，就能像宇宙推動宇宙變化一樣，推動國家社會的變化到達最合理的境界，這才是「咸德」應該發展到的最高境界。）孔子闡發這爻的義理非常精闢，我們學習《咸卦》，就是要把感應之道推展到這個高深的義理去！

九五，咸其脢，无悔。

「九五，」

「九」指它是陽爻，「五」指由下往上數處身第五爻位。

「咸其脢，」

「脢（音梅）」傳統解釋指後背心，那是人體動得最小甚至不動的地方，既不會感，也不會應；利用這個部位去產生感，即不產生感應。

「无悔。」

「无悔」，不會產生後悔的事情。九五與六二正應，如出現在其他的卦就很好，但在這裏卻不好。本來不用私心去感應才是偉大的感應，現在以不感不應的夾脊作為譬喻，豈不是最好的應？不過這裏所說的不感不應可能近似道家和佛家那種清靜無為、忘卻世俗的心懷，和儒家在這裏所說的「無心」意義不同。其實有心於感和無心於感都不合乎《咸卦》所要求的「貞」之道，因為有心於感，就容易「有悔」；相反，有心於不感，則止於靜而只可以「无悔」而已。儒家認為要感要應，但要合乎正道。現在是不感不應，不會有災難，也不會有後悔的事情而已。

《象》曰：「咸其脢」，志末也。

《小象傳》解釋說：「咸其脢」這種感，顯示它的志向放於最不重要的事物上。凡卦的上爻是「末」，九五本應與六二相應，但不相應，反而和上六親比，這種做法是不敢恭維的，但這只是其中一解而已。

元代大德年刊本的《易程傳》把「志末」寫作「志末」，但其他古今版本一般都是寫作「志末」的。近人馬恒君《周易辨證》（河北人民出版社一九九五年十二月版，三四二頁）說《周易》很多地方用的是「志未」，這裏也應作「志未」。但如細看《易程傳》對此句的註解，也是當作「末」字來解釋的，可見「志未」只是手民之誤。個人認為「志末」更為合理。「本」、「末」都是象形字，原義「本」是指樹木的根部、「末」指樹梢，「本」的引申義是根本、重要，「末」的引申義是不重要；「志末」是說志意放在不重要的事理上。為甚麼會如此說九五呢？陽爻在五位可說得中得正，更與六二陰陽相應，應是好到極點，但它處身在「脢」的位置有問題，那是背脊或夾脊，是身體最不能動的部位，所以不能「感」。另外，「脢」的不動近乎麻木不仁，亦即不能「應」。《咸卦》的初、二、三爻之感都不好，甚至上六之感也不好，可見在《咸卦》裏，不正常的動都會得到不好的判斷辭，現在它不動，起碼不會有不好的結果，亦即不會因個人的自私想法造成悔或吝、甚至凶的後果。但九五和六二正應、和上六親比，因此只想親近六二和上六，希望得到這兩爻的相應，結果就不會對初爻、三爻、四爻有所感應，即是感應的對象是狹窄的，由於九五是人君之位，「聖人感人心而天下和平」，那是要對全國的人一視同仁，全都關懷愛護，才是人君應有的責任和心志，現在它只對少數人關懷愛護，豈非忘記了他的職責，只注意一些瑣碎的末事？因此希望占筮到這一卦的人明白，體會到「脢」的位置的特性，將它不感不應的精神發揮至不是只親近或阿諛奉承自己的人才去感應，而是將這種無心之感擴展到整個人類萬物，才達到感的「志本」而不是「志末」；這裏暗喻能做到無心之感才是感的最關鍵要素。

上六，咸其輔頰舌。

「上六，」

「上」指爻位最上，「六」指它是陰爻。

「咸其輔頰舌。」

「輔」指輔骨，即上牙床；「頰」是面部兩旁，今天叫「腮」；輔在內，腮在外；「舌」

是舌頭。説話時舌頭活動，帶動牙齒和腮部活動，三者是説話時活動的部位。上面幾爻講到感應的位置都是只有一個，如「拇」、「腓」、「股」，到了上爻卻同時講三個；「咸其輔頰舌」象徵言語特別多，以此進行感應。本來言行是君子之樞機，言行可以感動天地萬物，所以言行適當的話，是感應最重要的工具，但這裏説出了感之道最重要是貞，即守正道，在於人即是《乾卦》的誠，要具備最誠懇的心態，才能感動別人。真正的誠懇是不需要多言説的。

《象》曰：「咸其輔頰舌」，滕口説也。

《小象傳》解釋説：「滕」字本指水不停向上湧，「滕口」即説話滔滔不絕。許多時候言語太多，反而失去誠懇樸實，越是説得多，越代表內心有問題，越是説得美妙動聽，就越惹人疑竇；越是寡言、説話笨拙的人，越能取信於人。「説」即「悦」，喜悦，爻辭是説用言語令人感到舒服開心。《咸卦》的上卦是《兑卦》，《兑卦》為口、為悦，現在不是以行動或心，而只是用口中説話令人喜悦，這是極不誠懇的表現，所以這做法是不好的。為甚麼沒有吉凶悔吝的判斷辭呢？因為言語可以是好，也可以是壞，可以極之感動人，也可以全無感染力，說話滔滔不絕未必就是虛偽，禍福吉凶關鍵是講者的說話是否合乎正道及是否誠懇，禍福吉凶是從那個人的心志和行事來決定的。如從整個卦來說，上六不是個好的爻，用言語來感應，畢竟是比較差的。

總結

要了解《咸卦》，首先要了解《序卦傳》中一段說法：「有天地，然後有萬物，有萬物，然後有男女，有男女，然後有夫婦，有夫婦，然後有父子，有父子，然後有君臣，有君臣，然後有上下，有上下，然後禮義有所錯。」它說出了天地的演化逐漸演變成為人類社會的發展過程。它將自然發展和人類社會發展視為一個整體，甚至認為人類的發展也是跟隨着自然的發展而逐漸形成的。因此說到人類社會的發展，其實是遵從天地規律的發展過程。而在《序卦傳》中，則藉六十四卦的發展次序加以說明。「天地」以氣交感，產生萬物。天地就是指《乾》《坤》兩卦，所以今本《周易》的卦序就是以這兩卦作為開始。而「男女」交感而成夫婦，是人倫的開始，由此逐漸形成人類的發展。男女就是指《咸卦》和《恆卦》，所以作為《周易下經》的開始。通行本《易經》分為上經和下經，漢代的《熹平石經》也是分為上、下兩經，但馬王堆帛書《周易》是不分上下的，同樣，馬王堆帛書《繫辭傳》也只是合通行本的上下兩篇為一篇，因此有可能《易經》的篇章有不分上下篇的版本和分為上下經的版本。馬王堆帛書《周易》的易卦次序是根據嚴謹的邏輯方法排列的，方便記憶，可能是供占筮用的版本；而今本《周易》六十四卦的排列次序卻說出了天地的開闢直至發展到古代社會所出現的先後事物，所以這個版本是個蘊涵高級哲理的版本。《十翼》特別是《繫辭傳》已說明《易經》是「二篇之冊」，因此今本分上、下經是有它的特殊意義的。既然有特殊意義，將《咸》、《恆》兩卦放在《下經》之首，也應有特殊意義。

其次，《序卦傳》說出了易卦排列次序先後繼承之所以然的緣故；但《咸》、《恆》兩卦並沒說繼承自排列於它之前的《坎》《離》兩卦。既不是繼承自前此的《坎》《離》兩卦，所以應是另一開始。所以遠在漢代的易學者已說《上經》是講天道，即自然規律和它的發展過程；《下經》是說人道，說出人類發展的過程。但晉代韓康伯不同意，提出：「夫易六畫成卦，三材必備、錯綜天人，以效變化，豈有天道人事偏於上下哉！」指出《上經》很多時也說及人道，《下經》很多時也說及天道，其實天地人三道是錯綜合一的。所以說《上經》只講天道、《下經》只講人道之說是不全面的，如純粹從卦的內容來說，韓康伯的說法絕對正確，但何以後世的註解家並不全部採用？原因是原本的《周易古經》縱然有些地方是以天道比附人道也是如此，但全經主要都是以人道為主的。但到了《易傳》，尤其是《彖傳》，則提升《周易古經》到貫通天人的哲學高度，或者從天道之必然以推及人道，或者從人道何以須如此找到天道作為根據，《序卦傳》便在這個基礎上申論《上經》主要是從天道立場推及人道有關的事，《下經》則是從人道的事逆推及於天道的規律，藉此說明六十四卦的先後排列次序自天而及人。因此《上經》意旨着重在講天道，《下經》意旨着重在講人道，漢儒的說法還是有道理的。

其實儒家所謂「人道」，指人類進入文明社會之後，人類社會展現出的各種合理規則、政制、文教、道德、知識等，這些都是脫離了禽獸階段以後的事；在天道地道之後，人道亦在規範人類思想、行為的時候，才叫「人道」。唐初孔穎達等支持韓康伯的說法，指出《上經》講及爭訟和法律，這些明明是人事，不是天道之事，所以認為漢儒之說不正確。但如果說人類文明之後才是人道的開始，那麼在已有人類的舊石器時代、或新石器時代，有了爭訟和戰爭，那些可說是人道，但也可說是與禽獸一樣的禽獸之道。甚麼時候才真的算是進入文明社會呢？《易經》或儒家學者認為是要到了婚姻制度的確立，才是人類文明曙光的開始，所以《詩經．周南》的第一篇《關雎》講婚姻；《禮經》特別注重大婚，而《周易》講到人道，是從《咸》、《恒》兩卦開始。古代儒家著作有個明顯的特點，就是特別注重夫妻的正常關係，認為這是人倫的開始，「倫」即理，人倫即做人的道理，尤其是《禮記》的《中庸》特別強調夫妻是一切儒家道德發展的源頭，懂得夫妻之道，才懂得整套儒家之道。《大學》的要旨是從誠意、正心、修身開始到齊家，之後才到治國平天下，「齊家」就是好好處理婚姻關係。傳說中的堯帝想禪讓帝位給舜帝，這樣重大的事情不能只憑聽聞舜的賢德就可決定，國家大事是不能拿來試驗的，所以他先把自己兩個女兒娥皇、女英嫁給舜帝，因為他認為人最難處理的是一男二女的夫妻關係，處理得好，國家大事就易於處理了。舜帝把夫妻關係處理得盡善盡美，因此堯帝可安心將帝位交託給他。所以《咸》、《恒》兩卦作為《下經》的開始是有它的深刻道理的。

另外，《先天八卦圖》發揮了《說卦傳》的說法：「天地定位，山澤通氣，雷風相薄，水火不相射。」所謂「天地定位」，是指宇宙的創立首先是天在上，地在下，確定了宇宙空間的位置，由於乾坤的分立、對立，然後互相感應、互相推動，令到整個世界由靜止變成運動變化的世界。因此《上經》《乾》、《坤》兩卦的分立，是藉陰陽天地的對立來確定萬事萬物「分」的關係，由分而推動萬物的變化。「山澤通氣，雷風相薄（互相壓迫推動）」，「山」是《艮卦》，「澤」是《兑卦》，「雷」是《震卦》，「風」是《巽卦》。《上經》是以《乾》、《坤》兩卦為首兩卦，到了第廿九、三十卦，就是《坎》、《離》兩卦，它們是《乾》、《坤》運動變化所展現的關鍵，因此《乾》、《坤》、《坎》、《離》，是《上經》所主要組合的四個經卦。既然《上經》側重在天道的《乾》（天）、《坤》（地）、《坎》（月）、《離》（日），《下經》所側重的只能是後面的《震》、《艮》、《巽》、《兑》四個經卦的組合。本來《下經》一開始，應要分別講《艮》、《兑》、《震》、《巽》四卦，但「分」令事物有了「空間」，「合」使事物的「時間」產生變化，當宇宙確定空間時間之後，萬物就彼此感應、融合，然後推動事物的變化，因此《下經》是說「用」，一開始就是說這四卦的運行；《咸》（艮下兑上）、《恆》（巽下震上）就是《艮》、《兑》、《震》、《巽》四經卦混合的運用。《咸卦》象徵婚姻的開始，《恆卦》象徵婚姻的永恆，因此《咸》、《恆》兩卦與《乾》、《坤》兩卦的「分立」剛好相反，「結合」才可見夫妻或萬物合二為一，然後產生作用。《乾》、《坤》天地的結合產生萬物，分立推動萬物的變化；《咸》《恆》夫婦的結合產生人類的後代；分立形成人道仁義禮制的發展，所以「山澤通氣，雷風相薄，」繼承「天地定位」。「水火不相射（討厭）」（馬王堆帛書《周易》沒有「不」字，寫作「水火相射」，似乎更為合理，按照傳統版本，意指水火不互相討厭，如按照《馬王堆帛書》版本，意指水火互相討厭、互相矛盾）。這裏說出了宇宙開闢的時候，天地分立，山澤高低不一，雷風互相矛盾，水火互相激動，說出了一種對待（對立等待時間推動事物運動變化）的關係，由對待隨着時間的發展，便由靜止的宇宙形成推動彼此的變化。在《說卦傳》的後面，另有一段文字，說到「水火相逮（到、及）」，水火雖互相討厭，但在發展過程中間，由互相討厭變成互相親近，因此矛盾就統一了。另外，「雷風相薄」帛書寫作「雷風不相悖」，即雷風互相不違背，互相協調，推動整個大地生物的發展。《上經》說的是《先天八卦圖》，八個卦本是互相對待的，到了《下經》，從對待、矛盾因結合而統一，這是後天發展的情況，從而組成《下經》的卦序。至於《坎》、《離》，在《上經》以天道為主，所以象徵日月；但在《下經》，以人道為主，所以《坎》、《離》象徵男女。《乾》為陽、《坤》為陰，是宇宙最大的陰陽雌雄兩體，由《乾》、《坤》之體，演變為《乾》《坤》之用，便變成為《坎》、《離》兩卦。《坎》、《離》是天地的子女，是《乾》、《坤》的作用，所以《上經》以這兩卦結束。而《下經》最末的《既濟》、《未濟》兩卦，同樣是《坎》、《離》兩經卦結合的運用，《上經》是《坎》、《離》之分，《下經》是《坎》、《離》水火合用之妙，於是六十四卦的卦序形成了天道自然哲學的一個巧妙之極的結合。所以這種似是混亂無章的排列，其實蘊藏着大量心思，巧妙地排列在一起，有少數可能排得不合理，但大多數都是合情合理的。這個排列可能來源很古老，馬王堆帛書《周易》的卦序反而是後起的。由此我們可明白《咸》、《恆》兩卦的重要性。

《咸》、《恆》兩卦講感應之道，裏面有個有趣問題。《下經》明人道，所以《咸卦》卦辭只說「取女吉」，它的爻辭說的只是人體六個部位的感應問題，內容具體淺近，甚至並沒有提及娶女之事，因此今天的新派易學家例如王明教授在《中國哲學》第七卷中提出了新解，他說《咸卦》象徵男女戀愛過程中的親暱動作，從撫摸腳趾開始，然後依循人體部份而上，最後到了上爻就是親吻。這是跟傳統解釋大相逕庭的。傳統的解釋說《咸卦》講人事，由人事逆推，回到天道。《咸．象傳》在說了人的感應之後，再逆推到天地、聖人之道。《上經》的寫作方式是從天道推及人事，《下經》就由人事推及天道。由這麼瑣碎具體的人事一步步抽象，變成同類事物的共有規律。從少年男女的戀愛交感，引申到所有人類之間或萬物之間都是互相感應的。這便是將具體的個別特殊事件抽象化，提升變成宇宙普遍的感應規律。它認為：第一，感應是自然界萬事萬物必然產生的現象，主動去追求時會產生，但即使不主動也會產生，例如天涼穿衣，天熱脫衣，都是自然發生的事，天氣之改變為「感」，人穿衣與否為「應」。凡感，最重要的是守持正道和具備「誠」；而應，最重要的是「虛」，內心思想能「虛」，就可以接收到一切的信息，能虛然後能貞，能貞然後能靜，能靜然後能感，能感然後能應。整個宇宙萬事萬物從最初的漠不相關，通過感應變成互相影響、聯繫依存，成為一個完整、息息相關的世界。由此可知，《周易》表面說的都是一些瑣碎的事情，如單憑藉那些卦爻辭來占筮未來，未免太粗疏了。但《周易》的文字不能寫得太具體精確，不然占筮的人就一定不能拿來應用於不同的情況而能夠處處都說得通。今天的新派易學家以「原義」解釋《周易》，其實是欠缺常識的，他們不知道《周易》本來就是故意寫得含糊其辭。正因為寫得含糊，就可以把它抽象化。任何一個易卦的卦爻辭，一旦把它抽象化，將之提升，就會變成同類事物的共有規律，因此六十四卦就是六十四條大規律，每個卦有六個爻辭，象徵這件事的六個不同階段、六個適當或不適當的應付辦法，於是六十四卦共有三百八十四條小規律。原本是人事的規律，但如能把《咸卦·彖傳》讀通了，把男女的感應提升到天地萬物的感應，那豈不是將低級人事規律提升到宇宙自然規律去嗎？於是六十四卦就是六十四條宇宙重要自然規律，三百八十四條小規律就變成自然界三百八十四條小規律，拿來應付古代的簡單生活已很足夠。但後世則未必足夠，於是又有人產生懷疑了，是否應增加爻的數目？朱熹在《八卦次序圖》說到邵康節「所謂八分為十六，十六分為三十二，三十二分為六十四者」、形成六十四卦之時，並沒有說要繼續用二次方擴展下去，因為邵康節或朱熹只是想藉此說出宇宙從簡單發展到複雜的過程，即任何事物其實都是二的N次方的發展，所以這可能只是反映宇宙變化的一般規律，那就不需擴展為七爻、八爻、十二爻等了。因為凡懂得《易經》的人，都應明白《易經》是要把最複雜的事物變成最簡單，將無限眾多的事物簡化變成只有陰和陽，《易經》甚至是要把六十四條規律變成一條規律，這就是宇宙的最基本規律；它也是一條鑰匙，可以打開宇宙各種學問之門，這才是學習《易經》的目的。這條規律就是「一陰一陽之謂道」，它是宇宙最基本的規律，受得起時間的考驗，所以《易經》說到宇宙人生規律的浮泛含糊文字受得起時間、乃至今天科學的嚴峻考驗。

《咸卦》總括來說有四點。第一點，萬事萬物相互之間都有感應，凡事物動就是陽，陽先感、陰靜以待動，後應才合乎感應的常規。因此卦中六爻，靜以待動的才吉而无咎，動而相應的都不吉利或有咎。第二點，感一定要用正道，用邪道去感，短暫或可得到利益，長遠則災害無窮。第三點，用人的立場來說，就是感須發乎誠，從天道來說，也是發乎誠。天道的誠是說自然的規律，無為無心，順乎自然。日月的運行，互相推動，形成往來晝夜寒暑等現象，完全順乎規律而行就是誠，人類則要有誠信。「聖人感人心而天下和平」，他能同時感動那麼多人的心，關鍵是他所行的是正道，他具備至誠無息的精神，在下的人自然就會和他感應；講到政治方面，人君如是道德崇高，真正為民着想，人民一定會擁戴他，甚至會原諒他的錯誤，假使執政者言偽而辯，即使他如何勤於政事，但因已失去人民的信心，便不會有人跟他有感應，只會產生反感。第四點，如要誠，就要「以虛受人」，「虛」即沒有自我，有了主觀成見就不能容納其他人的意見，由虛而產生靜，靜而能自動察覺各種細微之感，然後無須特別去應而能自動回應，那就是感應的最高境界。但這種境界一般人很難做到，所以《咸卦》的六爻任何一爻都做不到。另外，第四爻沒有講是身體甚麼部位，但從上下文推測，加上它說「憧憧往來」，那是心思的作用，可以推知它說的其實是心。當心有了主觀偏見，它就好像其他五爻的個別部位一樣，所感應的也只是個別事物；只有當心是對所有事物沒有遺漏同時感應，才能得到感應之全，因此第四爻一方面說它「貞吉」，一方面說它「凶」，原因是掌握了感應正道的心去感應，就會得到最大吉祥，如只為了追求個別女子而輾轉反側，將全部誠敬摯愛之心集中在個別特殊的女子身上，在他本人來說很偉大，但人類整體的福祉方面來說則是疏忽了，儒家認為那只是自私的感應。墨子講博愛，更會覺得這是不對的。從人事提升到自然規律這一點，《咸卦．彖傳》作了很好的說明。其實《易經》不是在低層次說人事，而是從人事找出它背後的規律，上升為天地人三道的規律，那才是我們所需學習的；自然，推天道以及人道，更是學習《易經》的目的。天人要互相來往感應，然後將自然界與社會人生混合成一整體，那就是《序卦傳》的寓意，也就是中國傳统文化最值得讚揚的精神，我們要是能掌握它的精蘊，做人做事便會大大不同了。

其他的枝節問題，在此就不贅了。

【第十二講】遯卦

䷠（艮下乾上）

《遯》：亨，小利貞。

《彖》曰：「《遯》，亨」，遯而亨也；剛當位而應，與時行也。「小利貞」，浸而長也。遯之時義大矣哉！

《象》曰：天下有山，《遯》；君子以遠小人，不惡而嚴。

初六，遯尾；厲，勿用有攸往。

《象》曰：「遯尾之厲」，不往，何災也？

六二，執之用黃牛之革，莫之勝説。

《象》曰：「執用黃牛」，固志也。

九三，係遯，有疾厲，畜臣妾，吉。

《象》曰：「係遯之厲」，有疾憊也；「畜臣妾吉」，不可大事也。

九四，好遯，君子吉，小人否。

《象》曰：君子好遯，小人否也。

九五，嘉遯，貞吉。

《象》曰：「嘉遯貞吉」，以正志也。

上九，肥遯，无不利。

《象》曰：「肥遯，无不利」，无所疑也。

卦名闡釋

卦名為《遯》，「遯」的意義，《序卦傳》和《雜卦傳》都說是「退」，即退避，引申就是隱退、逃遁。「遯」即「遁」字。《周易》的原義，可能是指貴族從朝廷退下來，不再參預政事，閒居於家中。而在政治特別敗壞，受到迫害時，才會逃避於山林、民間等。但後來的儒家和道家則分別發展、擴充了隱遯的意義和實踐的方法，見下文。

《遯》：亨，小利貞。

「《遯》：」

指《遯卦》。

「亨，小利貞。」

「亨」是事情暢通順利發展。「小」是小事；「利貞」是利於守正，守持正固之道就能得到利益。這是卦辭原來的字面意義。整句是說，在適當的環境或情況下，實踐《遯卦》所指陳的隱遯（遁）之道反而能令事情順利發展。既然「小」指小事，是國家的小事或個人、家族有關的事情；則相對來說，「大」便是指國家重大的政事。在《遯卦》陰將繼續滋長害陽的時世，身為君子，不利從事匡國救民的國家大事。但從事維繫國家不急速變壞、能力所及的小事，或個人進德修業的事情，還是會有利的。

但後來解釋卦辭的《彖傳》發展了陽為大、陰為小的意義，以陰象徵小人。這一句的意義便改變為小人做事如能執持正確的做人道理，不去迫害君子（陽），反而對他是有利益的。《象傳》這一層意義較隱晦，將它明確指出來的是南宋大儒朱熹，他說古人無此解法，是他細心體會原文和《象傳》後得出來的。他的說法為後來大多數註解家所接受，因為有道理；更重要的是，它對維繫世道人心有重要的哲學意義，所以雖然略為歪曲了卦辭原義，後人也樂於接受。

《遯卦》在卦序上，緊接《恆卦》。《恆卦》是從夫妻應白首到老、廝守一生，引申為長久不變之義，推展到宇宙萬事萬物的變化都是遵從永恆的規律而不會改變；但從易義來說，永恆發展到極限也會改變。因此象徵永恆的《恆卦》，發展到了最後，就不能堅持「恆」。因為「恆」也是要努力堅持向前持續發展的，例如做學問的人，讀書、研究不能停下來，不然就會退步，因此《恆卦》的向前之義發展到極限，便會後退，所以緊接《恆卦》之後，就是《遯卦》，取《遯卦》有後退、退避之義。至於《遯卦》之所以有退避之義，是由於《遯卦》的卦象是艮山在下、乾天在上，山向上隆起、高出地面，而天則更高高在它之上。在古人眼中，高而能向上逼近天的只有山，因此通過這自然現象，得出一個哲學的想法，就是山想逼近上天，與上天爭勝，天則保持高高在上，似乎在避開山。因此山雖有寖（漸）長之勢，卻永遠不能逼近、侵佔天。天和山是矛盾的事物，山想與天比高，而天避開不與它爭勝，有退避之義。這是《遯卦》的第一個意義。

第二義是從陰陽發展的規律立義的。當六爻純陽的《乾卦》被陰侵入取代，第一次取代，初九變為初六，變成五陽一陰的《姤卦》（《易經》卦爻從下開始），接着二陰生的是《遯卦》，三陰生的是《否卦》，四陰生的是《觀卦》，五陰生的是《剝卦》，最後變成純陰的《坤卦》。然後由《坤》開始，一陽生是《復卦》，順次序二陽生是《臨卦》，三陽生是《泰卦》，四陽生是《大壯卦》，五陽生是《夬卦》，到最後變成純陽的《乾卦》。可見十二辟卦其實就是從《乾卦》和《坤卦》兩卦變化出來的，隨着陰陽產生的不同份量和次序，陰陽的發展各分為六個階段，《乾卦》產生六個陰生的卦，《坤卦》產生六個陽生的卦。十二辟卦再產生其他五十二個卦，這是虞翻的易學所提出來而後世也接受的說法。明白了陰生的過程是個自然規律，當陰一產生，陽便會退位。一陰就會取代陽的領導地位，主宰陰陽兩氣的變化，陰接着會慢慢增加，陽就會慢慢減少。《遯卦》表面上只是二陰生，上面仍有四陽，實際上二陰的力量還不是那麼大。當陰發展到三陰三陽的《否卦》時，《易》學便說這時已是天地否塞不通，萬物凋零的時世。

可見陰增加上升至第三爻，作用便明顯了，越往上升，自然就越嚴重。從《繫辭傳》所提出的「幾（機）」來說，一陰生之時，肉眼雖則難以察覺，學《易》的人就明白陰會持續滋長，在這個時候懂得預防或應付，就叫做「知機」。到了二陰生，微微可覺陰生，這時更應「見機而作」，須要及早消弭陰長。到了三陰生的《否卦》才去應付，那就遲了。所以這個卦說到退遯，一方面是說陽的退遯，陽發展到純陽，就會盛極必衰，一陰剛生，就會退避，讓微小的陰改而為主宰。另一方面，在人來說，陽代表君子，陰代表小人；如論時世，陽長象徵時世向好發展，君子當權；陰長象徵時世衰落，小人當道。因此時世的好壞與人力也有關係，一陰生是小人暗中作小惡事，二陰生的《遯卦》是小人蠢蠢欲動，三陰生的《否卦》則已是小人當權得勢，所以在《遯卦》的時世，君子知道最好在此時之前，或在這時，見機退隱。這就是《遯卦》指示君子在這時世，酌情實行的方法。

《彖》曰：「《遯》，亨」，遯而亨也；剛當位而應，與時行也。「小利貞」，浸而長也。遯之時義大矣哉！

「《彖》曰：『《遯》，亨』，遯而亨也；」

《彖傳》解釋說：《遯卦》所說的退遯，是在退隱後才會亨通。對卦辭中「《遯》亨」兩字的字義，它並沒有解釋，只是加了個「而」字，「而」字說出了如要「亨」，第一個條件是要「遯（遁）」，第二個條件是時間上，須「遯」（遁）之後才會亨。

至於「遯」，中國歷史記載隱遯的事例始見於商代末年紂王時代的箕子和微子。箕子認為身為國家的宗室大臣，國家有災難，應勸諫君主改善、解救，結果被紂王囚禁；微子則選擇了隱避。兩個人就在為國犧牲和退隱的問題上進行討論，這件史事載於《尚書》和《史記·宋微子世家》。箕子被囚禁後不久，紂王就被武王打敗，周朝代商朝而興起，箕子得到釋放，武王還向箕子請教治國之道，箕子告訴他自古流傳下來有九個治理國家的重大法則「九疇」，記載在《尚書·洪範篇》中，「洪」是大，「範」是法規，是古代治理國家九個最重要的方法。另外，《史記·伯夷叔齊列傳》記載了伯夷和叔齊的故事，他們是孤竹國君的長子和三子，為了父親鍾愛中子，他們離開國家，好讓國君把君位傳給中子。他們聽聞周文王是個賢君，於是移居周地。不久武王伐紂，他倆擋在軍隊之前，指責周武王，說他以臣伐君為不忠，父死未葬為不孝。周朝建立後，他們就隱居在首陽山上，「義不食周黍」（黍即米糧。古代做官的俸祿以米糧計算；這句話可解作不出來做官或純指不食周朝的米糧），結果在首陽山上採薇而食，最後餓死。因此孔子說商朝有三個仁人，就是指這三個隱遯的人，他們受到孔子高度的讚揚。

隱遯後來發展為隱逸。隱遯的條件是貴族，而且權位曾經顯赫，微子、伯夷和叔齊三個便都是國君的兒子，而且曾經權位顯赫。另外，退隱多是因為政治上的問題，例如對政治的不滿，或者在政治上受到迫害。古代所謂「隱」，是在大家族裏隱居，不出來做官，通過退隱來表示無言的抗議。這種「隱」即使是受到迫害，時間也是短暫的。不是真的想退隱，只是環境不許可繼續在朝廷做事才被迫退隱。古代的大家族都是很有勢力的，不會長久衰落，遲早可東山再起。例如箕子被囚只是不足一年，微子也很快就恢復了顯赫的地位，不是終身之隱。

「隱遯」還有其他的意義，《周易》的第一卦《乾卦》的初爻「潛龍勿用」，《乾文言》解釋時已說：「遯世无悶」，逃避世間，不出來做事而不覺得懷才不遇，仍然進德修業，樂在其中，可見得「遯」的背後是要增加自己的才能，改善自己的道德。另外，《蠱卦》上九爻辭：「不事王侯，高尚其事。」意指不在國家做事，而去做其他高尚的事情，所以後世隱士亦可叫作「高士」，例如皇甫謐著有《高士傳》，在序言中明確記錄的對象為「身不屈於王公，名不耗於終始」的這一類人物。還有《明夷卦》，它的卦象是日入地中，象徵周文王被囚於羑里，忍耐受苦，同時努力修德，即是退隱改變自己，所以《明夷卦》也是和隱遁有關的。但最直接講到「隱遯」的是《遯卦》，它所講的「遯（遁）」的哲學理論後來為儒、道兩家尤其是儒家所繼承，並加以發展。

因此我們要明白「隱遯（遁）」是中國遠古已有的貴族的做法，並不是由儒家或道家所首倡的，而是《周易》所繼承發展的古代隱遯行為和思想，成為中國後世隱士的「隱逸文化」的主要遠源。儒道兩家都是跟着它發展的。五千字的《老子》看不到有甚麼隱遯的言論或哲學理論，反而是他目睹周朝衰落而西去，以行為實踐了隱遁。後來經過司馬遷在《史記．老莊申韓列傳》中的讚揚，令到後世的人以為「隱遯」是來自道家思想，事實上道家人物真正講到「隱遯」的是莊子。莊子認為舉世的人想法和做法都有問題、都是不合理的，他不願再與這些人同群、不想再見這些事，因此採取了隱遯的方式。他的隱遯不是受到政治的迫害，而是出自思想上的抗議；也不是一時之舉，而是終身實行的，與古代短暫的隱遯不同。不過，儒家和道家的「隱遯」也有一點是相同的，那就是通過「隱遯」，令到自己崇尚、所追求的「道」得到更合理的發展。莊子離群，是為了使到自己理想的人生和哲學得到更好的發展，儒家的隱遯是為了更好發展個人道德。身在亂世，同流合污會影響個人的人格道德，退隱則可以保持自己崇高的人格，並可繼續實踐道德，在這一點上儒道兩家是相同的，但道家所講的「道」，是自然之道，儒家所講的「道」，是人倫之道，兩家「道」的內容是不同的。儒道兩家不同的「隱遯」方式，後來在中國雙軌並行。

我們要界別各種不同的「遯」：例如《遯卦》的「遯」，是「與時行也」，要根據時世，應隱就隱，因此由古代到《周易》時期的「遯」的行為，叫做「時遯」或「時隱」，是按照外界環境時機來決定是否應「遯」的。但講到「遯」，如要細分，則可分為「心遯」、「身遯」和「身心俱遯」三類。例如移民外國即是「身遯」，或者受到迫害而離職也可稱為「身遯」。個人保持人格尊嚴，繼續進德修業，與整個俗世社會沒有脫節，身體沒有逃遯，但內心卻和現實環境保持距離的是「心遯」。又或者身有公職的人留在原位，表面上與惡勢力同流合污，但內心保持崇高的人格，做事保持正義的原則，能與惡勢力妥協，又能保持正確的做法，也是「心遯」。「身心俱遯」就是最高度的「遁」。

所以中國特有的文化、思想、風俗所崇尚的「隱逸」，並不一定要隱居山林或窮鄉僻壤之中才叫做「遯」。後來西漢東方朔的「大隱隱於朝市，小隱隱於山林」，便是「隱於朝市」，即隱於人世間最繁華、旺盛的地方，這便是「心隱而身不隱」的典型。

「剛當位而應，」

「剛」是指九五。陽爻為剛，卦辭是說四個陽爻應退隱，但《彖傳》則說陽爻在五位，得中得正，是「當位」的，因此以九五作為四個陽爻的代表。「而應」，指和九五相應的是在下的六二，六二是陰爻，也是得中得正。從形成本卦的卦義來說，是初、二兩陰爻將要進迫在上的四陽退隱，所以六二是卦主。但現在九五與六二是親密的結合，結果六二反變成協助九五，即是說不去逼害陽。

「與時行也。」

時世、環境，外界事物變化的趨勢，都可説是「時」。「時」，最重要是細心體察陰陽未來的變化趨勢及當前陰陽的盛衰情況，個人處身其中，如何適應、如何行動，這還須要配合個人的身份、地位、性情等等而有所不同。「行」要跟隨客觀的「時」來做應做的事，才是最適當的。這是因應時世而隱，所以是「時隱」。

「『小利貞』，」

「小」字的意義，古代各家註釋頗有不同，已見上文：「小」指小事細行，隱遁的時世，應晦跡以避禍，所以宜從事小事、注意自己的言行，不觸犯時世的忌諱，這是一義。「大」指從事國家的大事，「小」指從事國家的小事或個人的事，這是另一義。這兩說都是就遯退的人立義的。在易學中，陽大陰小，所以這裏的「小」，亦可指初六、六二兩陰而言。陰在這裏象徵迫害正人遯退的小人。這句是說陰柔的小人應懂得守持正固之道，不迫害正人，然後自己才能得到利益。第三義改從迫害正人遯退的人立說。其實三義都有道理。綜合三義更佳。

「浸而長也。」

「浸而長也」，指陰柔浸而長。「浸」是逐漸；「而」，暗喻須待時間才會發展；「長」，增長。說明《遯卦》的陰將來會逐漸增長，但目前還只是二陰，尚未到三陰迫害陽的時候。

「遯之時義大矣哉！」

《遯卦》所講的退隱之道，須根據外在的客觀環境，而客觀環境，和易學所說的「時」密切相關。「時」是客觀的，是人所不能改變或不易改變的，因此人須配合、適應「時」，才能得到吉祥的後果。所以行止應配合「時」，應「時」止則止（靜止不行動），「時」行則行（有所行動）。首先這是由下卦《艮卦》艮止之義引申的。《艮·象傳》便說明了這哲學的意義：「艮，止也。時止則止，時行則行，動靜不失其時，其道光明。」（艮的意義是停止，體會《艮卦》的卦時，應當停止不行動的時機就應該停止；相反，停止到了極限便會有所行動，所以當有有作為的時機便應前行，行動的動或靜不要違背時機，艮止的義蘊就光明了。）既然人的動靜行止須合乎「時」，而合乎「時」的準則在配合客觀規律，客觀規律即理，而人類根據天道（理）行事時，要斟酌環境、時機和個人的特殊情況，這是須根據「義」的。雖然《艮卦》亦蘊含「時」、「義」，但《遯卦》的上卦《乾卦》所反映的「時」、「義」，層次更高。《乾卦》反映天道。這才是《象傳》「遯之時義大矣哉」「時義」兩字義蘊的所在。乾天坤地本來兼及時間及空間，但乾天以時間為重，坤地以空間為重，所以有「天時地利」之說，因此《乾卦》

蘊含「時」及「適時」而行的意義。另外，《乾卦》反映天道，即天之理，人道效法天理，根據的是「義」，因此天理下降至人道之理便是「義」，「時」、「義」便是從此而來，這便是《彖傳》特別強調本卦「時義大矣哉」的原因。這樣，《彖傳》便將《遯卦》遯退之義提升擴充，遯退的遲速和止於其位而不遯，皆須合義了。所以《遯卦》所顯示的「時」、「義」哲學意義，是非常重要的。

《易經》某些卦表面好像沒說甚麼，但細心去分析，會發覺卦的背後蘊含着深奧的天道地道人道三道的道理，或者今天我們叫做宇宙人生的哲理。

《象》曰：天下有山，《遯》；君子以遠小人，不惡而嚴。

「《象》曰：天下有山，《遯》；」

《大象傳》解釋說：天在上，它的下面有山，但天遠離於山。組成《遯卦》卦象的意義就是說高山從平地升起，向上淩迫於天，但天高高在上，遠遠逃避於山。

「君子以遠小人，不惡而嚴。」

「遠」，遠離，遠避；「惡」，憎惡；「嚴」，對自己是以道德自律；對小人則是莊重嚴肅，使小人尊敬而忌憚他，不敢勉強和他混合在一起。君子體會了這卦象，懂得在亂世中對付奸臣或小人的最好方法就好像天遠離山一樣。天容納萬物，讚揚天或責罵天，天一概包容，不會因此而喜歡或憎恨。變成人道的做法，應效法天道的無偏私的容納、兼愛君子和小人；做不到的話，心中雖然對君子和小人有分別，但是在表面態度方面，不厭惡小人，可以和小人融洽相處，通過合理的言行感化他，使他成為正人，那豈不是遠勝於憎惡他？即使不能感化他，能夠融洽相處，亦可以保「全」自己，不會受到他的迫害，因此「不惡」是外表展現出來的行動、言語、態度。「嚴」是內心嚴分界限，嚴於律己，做到自己的思想完全純正沒有瑕疵，那就不會有把柄被小人拿來攻擊或誣衊。另外，通過嚴守道德，亦令到小人覺得你與他不同，一方面他妒忌你，覺得你討厭，另一方面也佩服你，不敢迫害你。結果你一方面沒有同流合污，能溫厚地與小人相處；另一方面內心遵守嚴格的道德，行為合乎道德，保持人格的尊嚴，那就是「心隱」而身不隱。進德修業的同時保「全」了自己，另一方面，通過嚴正合理的想法和做法，一定會變成黑暗中的明燈。最初可能火光微弱，隨時被風一吹就會熄滅，但隨着微弱火光的持續，會燃起另一道火光，火光多了，就越來越明亮了。如你明白了陰陽的發展，在二陰生時就抑制陰，不讓它發展，是不是好事？二陰生的社會暗中開始變壞，不讓它發展，它就是這樣，不會有甚麼大改變。如你退讓，那就會讓壞更快發展到極限。不過當壞發展到極限，相反的好，就會自然萌芽產生，因此「退」是以退為進，身遯而道亨。你雖退隱，但你在惡劣的世間受到更大的磨煉，你不被邪惡誘惑，令你的心智和道德，通過重重磨煉，達到更高境界。於是時世越亂，你的人格、道德、學問反因受到鍛煉而更高。人在嚴酷的磨煉中才能提升自己的才智和德性！

初六，遯尾；厲，勿用有攸往。

「初六，」

「初」指爻位最下，「六」指它是陰爻。

「遯尾；」

這裏有兩派的說法。一派認為從卦的爻畫組成來說，在下的二陰爻是造成《遯卦》遯退的原因，因此成卦之後，陰爻仍是象徵小人，所以初、二兩個陰爻都是迫害正人、君子，使正人、君子遯退的小人。另一派則認為：成卦之後，卦中的六爻，都是分別通過不同的爻畫時空關係和乘承比應等，來說明《遯卦》遯退的各種情況的卦義的，因此六爻都是說君子隱遯的不同情況和應對方法。兩種說法都有道理，但註解家採用第二說的較多。初六「遯尾」即是說在《遯卦》之末尾。《周易》常用人身作譬喻，卦的上爻是首（頭部），那下爻就是尾（尾巴）了，例如《比卦》上爻說「比之无首」，《離卦》上爻說「有嘉折首」，另外《既濟卦》、《未濟卦》等都有類似的用法。初六就是象徵隱遯時落在最後的人，隱遯往往是在上位的先退，然後在下位的才跟風隱退，因此初爻是最後退隱的一爻。從常理來說，初爻位置最低，象徵身份地位最低，通常大人物先退避、退隱，小人物見到人家遯退才曉得退，所以是落在後面的。《遯卦》初爻就是說它追隨別人隱退，處身在遯退人群的後面。從第一說的解釋則是初六和九四相應，九四在前退遯，初六尾隨其後，也就是小人藉此偵察君子的作為，從而陷害他。

「厲，」

這種做法是有危險的（包括一、二兩說）。

「勿用有攸往。」

「勿」，千萬不要，暗中有命令之意；「攸」，所。整句是說千萬不要隱遯，須停留在原位。原因最初的隱遯者在亂世尚未出現，早在出現機兆之初便退遯了，因此一般人一無所覺；等到隱遯成潮，你才跟隨人隱遯，那時人人都會察覺到，惡劣的惡勢力就會以你為懲戒的對象。不隱遯反而沒有問題，因為初爻的身份尚低，是陰爻在陽位，無才無德，身在下位，不受人注意，小人亦不會特別針對他。正可實踐本卦《彖傳》解釋卦辭「遯，亨」為「遯而亨也」之義，即北宋程頤註解所發揮的：「君子退藏以伸其道，道不屈則為亨」。這樣，身雖隱遯但仍可伸其道，不但能在亂世中保全自己，還可進德修業，暫時隱藏他的才智，等待將來可施用時再實踐自己的抱負，何需隱遯呢？歷史記載南宋的韓侂冑當權，貶趙汝愚於外，當時的儒學大師朱熹想上疏救護，諫疏已寫好了，他的學生看見上疏論救的大臣，都因此受到牽連（災禍），紛紛勸他審慎。於是他便占筮來決定如何做，結果占得《遯》之《同人》，就是由《遯卦》變成《同人卦》，亦即《遯卦》的初爻將由陰變陽。根據朱熹自己的占筮規則，應根據《遯卦》初爻即這一爻的爻辭作為判斷吉凶的根據，而爻辭是「勿用有攸往」，所以他便沒有上諫書，並且根據程頤《易程傳》對這一爻的指示：「往既有災，不若不往而晦藏，可免於災，處危故也。古人處微下，隱亂世，而不去者多矣。」占筮是在一一九五（乙卯年）或一一九六（丙辰）年，其後一一七零年他在建陽西北的蘆山雲谷，建草堂三間，扁名「晦庵」，並自號晦庵，便是根據這爻之義而得名的。如採用第一派的解釋說陰迫害陽，「遯尾」是在後追逐（甚至追捕）他，例如官吏本已去職，仍吹毛求疵，「尾」即是尾隨其後，找着他的痛腳，將他從別處捉回來，加以懲罰。這種做法對君子和小人同樣是危厲的。爻辭告誡小人，不想兩敗俱傷，倒不如睜一眼、閉一眼，千萬不要追捕隱遯的人或翻他的舊賬。這樣說固然是為了保護君子，勸小人不要趕盡殺絕；但也是為小人着想，否則就會兩敗俱傷了。

《象》曰：「遯尾之厲」，不往，何災也？

《小象傳》指示，爻辭雖然說不能及時退隱的會產生災厲後果；但只要不隱遯，便沒有災難危厲了。另解：小人鍥而不捨挑剔正人，對自己也會產生危險。所以不採取這種兩敗俱傷的做法，便不會有甚麼災害了。為甚麼這一爻有「遯尾之厲」和「不往何災」兩種不同的後果，原因是陰爻在陽位，如果順從陰不好的本性發展，則是小人挑剔正人或不及時退遯，便有危厲的後果；如果受到陽位（時位、客觀環境、主觀意志等）的影響，從正道考慮，便「不往何災」了。可見人的主觀意志，可以影響禍福吉凶。這種兩可的後果，陰爻在三位，陽爻在四位，尤為明顯，因為三和四是人位，人的主觀決定是否以道德為依據，便有吉凶的不同了。本卦的九四，陽爻在陰位，所以亦有吉凶不同的後果的。

六二，執之用黃牛之革，莫之勝說。

「六二，」

「六」指它是陰爻，「二」指由下往上數處身第二爻位。

「執之用黃牛之革，」

「執」，用手執持；「黃」指五色之中處於中間的顏色，暗喻得「中」，因為六二是下卦的中爻。用「牛」字象徵是陰爻，性質代表柔順，指出六二得中得正，因此具備陰爻的一切美好德性。顏色是黃，象徵事情做法適中；「牛」，象徵溫和不走極端；「革」是皮革，將它切成細條成為皮繩，皮繩是非常堅韌的，用來綁紮東西非常牢固。現在是說用黃牛皮造成的繩索綁住人，這可分為自綁和綁人兩義，詳下文。

「莫之勝說。」

沒有東西可將它解脱（「說」脱古字相通）。究竟綁紮的是誰？如果是自綁，即是說六二原本亦想隱遯，但居朝庭，身在其位，道義所在，不能隱遯，自我綁繫在救國救民的職位上，努力工作。如果是綁人，因為它與九五相應，所以它綁紮的就是九五。在隱遯的時世，陽剛的君子都不得不逃遯，六二雖是引致君子隱遯的罪魁禍首，但因為得中得正，仍然做事適當，它挽留君子在朝廷共襄國事，使朝廷政治保持正常，不致淪為亂世。這樣君子也不會受到他的迫害了，這便是自綁兼而綁人了，這一解釋，義理弘深，應採用。六二爻用了最堅韌的皮繩將自己和九五的君子互相綁紮連繫在一起，共襄國難。

《象》曰：「執用黃牛」，固志也。

《小象傳》解釋說：「志」是志意、想法；「固志」有三種解釋：一是指六二鞏固挽留九五的堅決意願；二是說在隱遯的時世，六二堅決保持要退隱的志向，不因暫時的安佚沒有災禍而不隱退，但不是身遯而是心遯。其三是指六二是國家的大臣，應對國家政務負責，不應退遯，應堅固不退遯的志意。三種解釋都有道理。

九三，係遯，有疾厲；畜臣妾，吉。

「九三，」

「九」指它是陽爻，「三」指由下往上數處身第三爻位。

「係遯，」

「係」是連繫在一起，本想逃遁，但被繫着而不能逃遯。

「有疾厲；」

「疾」是疾病，指應付小人，抑制陰長以致身心困疲而致的「疾病」；「厲」是危險，指受人中傷的「危險」等。這句指會有疾病或危害。

「畜臣妾，吉。」

如能在行事、態度方面，對待小人好像畜養家中臣妾一樣，就能既達成抑制陰滋長的目的，又能不和小人同流合污，會有吉祥後果。

《象》曰：「係遯之厲」，有疾憊也；

「係」，《小象傳》解釋說：繫心於消弭國家災難甚或依戀於名位、權力、利祿；「係遯」，有所繫戀而不能退遯。「有疾憊也」，疲於應付小人，令人疲憊，因而有病。

「畜臣妾吉」，不可大事也。

如明白「畜臣妾吉」，就知道不可做大事，「大事」指國家事務，所以是大。文中說「不可大事」，言外之意，可做小事，小事是個人或家族的事務。

九三是陽爻，本想與它上面的三陽爻一起隱遯，但它是下卦《艮卦》的主爻，主宰着下卦，因為這原因，它與下面兩個陰爻形成一個密切的整體，所以難於離開；加上《艮卦》的卦德為止，受到卦義的影響，使它行動停止，不能離開；更由於《艮卦》卦德代表誠懇、道德、樸實，它既是卦主，故有鐵肩擔道義的精神，在陰（小人）增長的時候，有責任抑制小人不變本加厲地加速發展，所以九三在這位置，有擋着陰爻浸長上升的責任，故只能堅守不去，令在上的三個陽爻有充足的時間隱遯；要是它撤退，就會兵敗如山倒了。「有疾」的原因是它努力遏止陰的上升，陰令它產生疾病，這裏的「疾厲」，是譬喻之辭，泛指對身體的損傷。時世的趨向是這樣，是否九三有力阻遏？它根本阻遏不了，但在道義上卻須努力去做，於是筋疲力竭，力不從心，因此是「憊」。「憊」是由於用了對抗的態度才會這樣辛苦，如不當在下的二陰爻是小人，把初爻當作是我的「臣」（初是陽位，所以是男臣）、二爻當作我的「妾」（二是陰位，所以是女妾），臣、妾在遠古都是奴隸，男為臣，女為妾，在這裏泛指家中受自己主宰控制的人。初、二兩爻為陰爻，三爻為陽爻，陽為君，陰為臣妾，所以，初二兩爻是三爻的臣妾。另外下卦是《艮卦》，三爻是卦主，主宰着初、二兩爻。而這兩爻雖然同是陰爻，由於初爻爻位是陽位，所以是臣，二爻爻位是陰位，所以是妾。古人認為臣妾都無須具備學問和道德，只需待以溫情善意，爭取他們的好感，他們自然會効忠，那你不用為了遏抑他們弄致身心疲憊，彼此可和洽相處。能如此做，象徵工作不是對外，而只是在家族裏做事，這是「心隱」或「身心俱隱」。古代的貴族都是在朝廷做事的，退下來只不過是暫時不參與政治而照顧自己家族，或只掛虛名為「卿、大夫」，但不理政事，沒有實權，那就不會受到迫害。所以不做國家大事，只是打理家族事務，就可吉祥了。

九四，好遯，君子吉，小人否。

「九四，」

「九」指它是陽爻，「四」指由下往上數處身第四爻位。

「好遯，君子吉，小人否。」

「好」有兩義，其一讀去聲，義為喜好、喜愛。「好遯」，既可解為帶着愉快的心情隱遯；但亦可解作不受喜愛的名、利、情等事物所影響，仍然能夠解除心中的留戀、牽掛，隱遯而去。另一讀上聲，義為好壞的好，這樣，「好遯」和九五的「嘉遯」、上九的「肥遯」都是說明這三爻的遯都是好的，只不過好的程度不同而已，如此解釋也是通的，但從哲理來說，則第二說不如第一說，所以大多數的註解家都採第一說。若是君子就非常吉祥，小人則「否」。「否」可讀作「否則」的「否」，即不是，和「君子吉」相反，即不吉。但讀如《否卦》的「否」亦可以，意義亦深刻，原因是九四和初六是陰陽正應，所以象徵九四君子和初六小人可以協調，在這情況下，君子仍可不遯退，但他見機，知道這情況不會維持太久，所以就及早快快樂樂，開心地離去，一來不會與小人造成不快的後果，二來不是心懷怨懟，覺得懷才不遇。在好遯的情況下，自己樂意選擇隱遯而去，便能繼續進德修業。能夠做到「好遯」的人，身為君子，身隱而道亨，這是吉祥的；但小人反而不吉，因為九四隱遯，象徵陰氣將會持續增加（象徵小人的增加），首先就會侵迫九三，使九三退位，由六三取代，那本卦就由《遯卦》變成《否卦》（《否卦》三陰爻在下，三陽爻在上）。到了《否卦》的時世，這時君子已經快樂地隱遯而去，剩下人間的實際苦難，便由小人去面對、承擔，小人當然不會是吉祥的。

《象》曰：君子好遯，小人否也。

《小象傳》從儒家的觀點解釋爻辭的「君子」和「小人」，九四下應初六，原本亦有權力、富貴的愛好，但由於上卦是《乾卦》，九四陽爻秉承《乾卦》陽剛的本性，終於戰勝私心。營私的念頭，人人都有，但剋制人欲的功夫，則只有君子或君子以上的賢人、聖人才能做得到。當君子明白了時世的不可有所作為，能夠斷絕人人所喜好的權勢、名利而超然遯退。小人則受私情所牽掛而不能遯退。

這一爻和初六爻類似，都因當事者心意的不同，而有吉凶的不同。原因是九四陽爻而在陰位，如果順從陽剛本性的發展，便能依循正道而是「君子好遯」，所以是吉占；但如果受到陰位的影響，蒙蔽了本性，不依正道而行，便是「小人否」，便不吉了，可知人事的吉凶，往往由人自己決定的，這便是春秋時代易占所說的「吉凶由人」了。

九五，嘉遯，貞吉。

「九」指它是陽爻，「五」指它在卦中第五位。「嘉」，嘉有善、美、慶、福等意義，所以「嘉遯」除了有因「嘉遯」而有喜慶、福厚的好處外，還有所作所為合乎道德的意義。因此「嘉遯」是較「好遯」更好的遯退。「貞」，正，一方面是說九五本身得中得正，而在下相應的六二，亦是得中得正。由於得中得正，所以是「貞」，象徵心中所想和實際所行，都合乎正道，所以是吉祥的。由於九五是君位，因此按照易例來說，原本應是指君主的退隱，即君主退位或禪讓，或者本可繼承君位，但退讓給賢者或其兄弟等。引申亦可降低身份指當權的執政者或貴族。

《象》曰：「嘉遯貞吉」，以正志也。

「以」，因為；「正」，端正、改正自己，使自己能夠確守正道的志願。這一爻的意義，古今註解因是否遵從易例而有所不同。遵從易例的，認為九五是人君之位，應指人君而言。任何事物，都像春夏秋冬四時的運行，功成便應身退，所以在五帝公天下的時世，堯帝年老退遯，禪位給舜帝，舜帝年老退遯，禪位給大禹；而在其後的家天下的時世，則退遯傳位給兒子。這是漢代《韓氏易傳》的說法。《韓氏易傳》已佚，但這一說法為《漢書．蓋寬饒傳》所引用而僅存。這一說法，後世雖然仍有少數註解家引用，但由於後來易學陰陽學說的進一步發展，認為陰繼續增長害陽是這個卦卦義的來源，因此這個卦的卦時不可能是傳說中堯舜的盛世，以堯舜的禪讓比附九五的「嘉遯」是不適當的，甚至以傳子比附這一爻亦不甚合適，因為君主不是退遯，而是死後才傳位給兒子的緣故。或者唐玄宗傳位給肅宗，清高宗（乾隆）傳位給嘉慶，退位為太上皇，勉強可以比附吧。亦有註解家認為周太公的長子泰伯知道父親想立其弟季歷，再由季歷傳其子姬昌（姬昌便是周文王），所以和他的弟弟仲雍奔荊蠻，遯退以讓季歷；類似的事例還有伯夷、叔齊的遯退於西山，亦可以比附這一爻。但最合理的解說可能是指表面仍然是盛世，但是人心漸變，政制風俗逐漸腐敗，已現衰危之機，身為君主是否應見機早遯呢？從天「時」的不可逆轉看，應及早遯退；而從道「義」來說，則身在君主之位，不得不盡其責任，鐵肩擔道義，身不能退遯，只能心隱。依據《象傳·遯》「君子以遠小人，不惡而嚴」的指示，用盡心志，消弭各種災禍，維護正道及正人君子，延緩衰世的來臨。這種遯是「心隱」型的遯退，較之為了一己及一家之私的遯退更具道德意義，因此是較「好遯」更好的「嘉遯」。

假使不遵守易例，容許例外，這一派的易學家亦有兩種解釋。其一是九五得中得正，具備最正確的心志，所以不會為外面的事物例如名利所繫，時世應當遯退時便能決然遯退。由於先機而遯，不會有初六一爻所說的「遯尾之災」，亦不會有九三一爻「係遯之厲」（因有所繫而不遯帶來的危厲）。可遯即遯，可速則速，心志堅定，樂於遯退，所以是「嘉遯」，而是貞吉的，這是指「身遯」。另一說則以為是指「心遯」，因為這是小人道長的時世，假使君子都潔身而遯退，還有誰來維持世道？九五因在下的六二「執之用黃牛之革」，受執持而留下來不遯退，實行《小象傳》的指示，以禮自防，而不為小人所迷惑，以貞固自守，就可以延遲小人之道的增長，為未來世運的復興盡一分力量，所以是吉祥的。這就是不以身遯而以心遯，這是仍留於位的好方法。也就是《象傳》所指示的「遯之時義大矣哉」。以上各說都有道理，可並存。

上九，肥遯，无不利。

「上」指它處身卦之最上最高之處，「九」指它是陽爻。「肥」，寬裕自得，「肥遯」，心地寬裕的遯退，沒有任何不利。「肥遯」另有別解：「肥」和「飛」通，高飛遠遯，隱寓遯退之速和沒有人和事阻礙他遯退。兩解都有道理，但第一解更具哲理。

《象》曰：「肥遯，无不利」，无所疑也。

《小象傳》解釋上九爻辭「肥遯，无不利」是「无所疑也」。「疑」，一般解作疑慮，引申有牽掛、留戀等義。原因上卦《乾卦》象徵天，而上九是乾天最高最上的一爻，象徵超然世外；兼且和九三同是陽爻，是「敵應」，在內在下沒有應與，即身心沒有繫縛於人和事，因此無所牽掛，沒有阻礙，對於遯退，能夠超脱一切，從容而去，心志喜樂，寬闊充裕。這和《乾卦．文言傳》解釋初九爻辭「潛龍勿用」為「不易乎世，不成乎名；

遯世无悶，不見是而无悶，樂則行之，憂則違之，確乎其不可拔，潛龍也」相應（不會為不合正義的世俗人事而改變品節、操守以獲得功、名，遯退於世外而不感到苦悶，不為世人所見是（推許）也不苦悶；合乎道德意願的事就樂意去實踐，相反於此的事決不實行，對這些事，具有堅確不動搖的意志，這就是潛藏其才德的巨龍的作為），因此「肥遯」是沒有不利的。而《小象傳》以「无所疑」來解釋爻辭的「无不利」，是和《文言傳》的說法相同的。

總結

《遯卦》是講述處身於政治環境不理想的各種情況下，如何遯退、退避、隱遯才是適當的行事方法。商周時期的遯退，是指執政的貴族脫離政治，但時間一般都是短暫的。這便是本卦原本要表達的內容。但後來的易學則將本卦的內容加以擴充提升，從原來的個別特殊事例提升變成普遍原則，指任何事物在發展的過程中受到阻礙時，須審時度勢，如果要暫時退避，則可退而進德修業，等待時機，將來再振興復位。

為甚麼《遯卦》有隱遯的含義呢？先從全卦的卦象來看，下卦是《艮卦》，象徵山；上卦是《乾卦》，象徵天。綜合上下兩卦的卦象，便是山從地面升起，進迫其上的天；但天卻更高高在其上，象徵天遠離在下的山，所以天有退避山的寓意。

而從卦的爻畫剛柔來看，二陰爻在下，四陽爻在上，二陰爻將會繼續增長為三陰爻，四陽爻將會消退減為三陽爻。從陰陽消息的規律來說，是陰消陽（消，減少；息，增加）的過程。陽象徵君子，陰象徵小人，所以這個卦象徵小人將會迫害君子，因此君子應見機及早退避隱遯。如果再加以引申，二陰爻在下卦、內卦，象徵小人在朝廷之內；四陽爻在上卦、外卦，象徵君子在朝廷之外，遠避小人。所以綜合上述三義，本卦便有退避、退遯、隱遯的涵義了。

但從天遠避高山的卦象來說，天遠在山之上，高山能夠迫害上天的程度有限，甚至可說沒有這種能力；再者，二陰剛開始增長，迫害四陽的力量同樣有所不足，因為四陽仍佔多數，足可自保；甚至小人在朝廷之內，君子在朝廷之外，是否小人即時能對君子有很大的傷害，亦未易斷言。因此後世註家及學易的人大都根據本卦《彖傳》對卦辭：「剛當位而應，與時行也」的闡釋，認為遯退的原則應根據《艮卦．象傳》：「時止則止，時行則行，動靜不失其時」作為原則。加以上卦是《乾卦》，《乾卦》具備光明峻偉之德，能夠合義而行。結合上下兩卦之義，便是「遯之時義大矣哉」。有關「時」和「義」，得到北宋歐陽修和程頤的闡發之後，它的義理更明晰。歐陽修《易童子問》闡發「時」字的義蘊是：「遯者，見之先也」；程頤闡發「義」字的義蘊是：「君子退藏以伸其道」。歐陽修的說法，是說明「遯貴在見幾」；程頤的說法，是說明「行遯主於伸道」。這便成為後來解讀這一卦主旨的根據，也就是後來以《象傳》所闡發的哲理將本卦內容意義提升到更高哲理的關鍵。

要了解後世闡釋《遯卦》的意義，先須明白遯有身遯、心遯和身心俱遯三種的不同，然後才可以明白六爻的隱遯的異同，和卦中六爻象徵在六種好壞不同的政局、甚至亂世中遯退的方式。

初爻「遯尾，厲」，開宗明義說明處身「遯」世，應該見機及早遯退，否則就有危險。這成了判斷卦中六爻吉凶的原則之一。但卦辭接着說：「勿用有攸往」，則說明初六這一爻「勿攸往」（即不隱遯）反而沒有災禍。原因是初爻在空間來說象徵位置在本卦最卑微，兼且初六為陰爻，陰象徵無才無德，不為小人所注意或嫉忌、迫害，只須晦藏才智以待時，潔身自好以修德，等待時機一至，就可實踐重整乾坤的抱負了。六二爻得中得正，雖然心懷隱遯之志，但既然身據朝廷高位，義之所在，不單個人、甚至還須把九五等賢人君子（甚至是君主）挽留在朝廷之內，共同盡力，匡濟時艱。卦辭所說用堅牢的黃牛皮革帶繫留九五，便是指此而言。九三是陽爻，在初六、六二二陰爻之上，是卦中陰陽交際（交接）的地方，為了不讓二陰繼續增長至三陰以消陽，所以盡力抑壓在下的二陰，以致疲憊患病。但如果採用《大象傳》的指示：「君子以遠小人，不惡而嚴」，在政治上不施行治國大事，只是在可以做的小事範圍內，維繫朝政、延緩國事的急劇衰敗便可以了。嚴格來說，《遯卦》雖然是指示遯隱之道的，但初、二、三三爻其實仍然處身朝廷之內，並沒有真正隱遯，最多只能說是心隱而身不隱。為甚麼呢？主要是受了組成這三爻的經卦《艮卦》卦義的影響。因為《艮卦》的卦德的止，是止於理，止於義。人的動靜都應止於理、義，而不應為了內心或外界的各種名、利、情的私心而改變，因此在政治混亂、甚至在亡國的時候，便不能只顧明哲保身，而應忍辱負重，留在原來的位置，為國家人民着想。所以《彖傳》發展《艮卦》的哲理說：「艮，止也；時止則止，時行則行，動靜不失其時，其道光明。」「時行則行」，就是行動止於理，行動就合乎時；「時止則止」，就是靜（不行動）而止於理，靜亦不失時。因此，行動和靜止，全由「時」來決定。「時」是客觀的因素，不是由個人一己的私心決定的，所以行動、靜止便不會受到個人「意、必、固、我」（意：懸空揣測；必：絕對肯定；固：拘泥固執；我：唯我獨是）所左右，個人的行止便合乎「時」，即合乎道，所以其道怎能不光明呢！

下卦初、二、三三爻便是根據《艮卦》的「時」和「義」（理）來決定出仕或是隱遯的。所以初爻是不在其位，不是身隱，勉強只是心隱，晦藏以待時。南宋大儒朱熹的心隱，便是這一爻指示的實踐者，他的心雖然隱遯，卻藉傳授弟子以弘揚儒家修己治人治國的正道，這便是程頤所說的藉隱遯以伸其道。六二守義，不能隱遯，所以身心都不能隱遯。九三則仍在仕途，只是心隱而已。這三爻對出仕和隱遯的做法各有不同，但相同的則是其身並沒有真正隱遯。

九四和初六相應，初六暗喻國事、人民或個人的權、位、利、祿等，九四和它相應，象徵對這些有所留戀，因此未來的吉凶，須視乎當事人的心意才能決定。如能發揮陽爻剛健的德性，展現君子之行，則能割捨私愛而遯退；如是小人之行，被私利所羈絆，貪戀權位，就會有凶。所以爻辭以「君子吉，小人否」分別作出說明。九五爻和六二爻亦相應，但由於兩爻都得中得正，所以九五爻能發揮乾陽剛健純粹中正的德性，或是功成身退，不戀權位而大吉；或是被六二以黃牛皮革帶綁縛（接受出自救國大義的請求）而勉留在位，以匡濟國難。但它雖在高位，仍堅持遯隱的正確心志，心隱而身不遯。上九一爻，位於卦中最高的地方，象徵居於世外，脫離塵網，兼以和九三無應，和九五無比，無所羈絆，心無罣礙，所以能夠超然遠遯。綜觀上卦四、五、上三爻，原則上都能遯隱，原因是受到組成這三爻《乾卦》的影響，《乾卦》為天，主要是順乎規律運行無息，因為卦義是天遠離山，因此這裏所說的行即仿效天的遠離於山，即退遯、隱退的意思。另外，乾天象徵天行有序，象徵合義，因此乾天和「時」、「義」相關。受到乾天時義影響的四、五、上三爻，自然要從「時」、「義」決定行止了。這三爻和下面初、二、三三爻不同，下三爻注重「時止則止」，所以身體止而不遯；上三爻注重「時行則行」，所以上三爻便能根據時義隱遯了。不過，雖然從文字表面的意義看，上三爻都是能夠見機先遯的。但由於隱遯有心遯和身遯的不同，九四和九五兩爻既可以是真正的身遯，亦可以身仍在其位，只是心遯。因此全卦六爻，只有上九一爻，才是身心俱遯，做到真正的隱遯。

中國到了商周時期，貴族在朝廷之中，或掌權而在位，或失勢而退隱閒居，已不是罕見的事。《周易古經》既以指導人事為主旨，對於這種情況，自然要有所反映。《乾卦．初九》：「潛龍勿用」，潛龍是說龍隱而勿用，也就是指在政治上隱遯。《文言傳》發揮其意說：「龍德而隱者也。不易乎世，不成乎名，遯世无悶，不見是而无悶，樂則行之，憂則違之，確乎其不可拔，潛龍也。」「遯世无悶」和「不見是而无悶」表現了以堅守道義的原則和信心，雖然隱遯，心志仍然歡樂。《乾卦》是《周易古經》的第一卦，初九是《乾卦》的第一爻，已開宗明義指示貴族如何處理「出仕」和「隱遯」的問題，可見它如何重視隱遯了。第二卦是《坤卦》，《坤卦》六四爻辭：「括囊，无咎无譽」，《小象傳》解釋為：「括囊无咎，慎不害也」，《文言傳》釋為：「蓋言謹也」，兩《傳》都將這一爻的隱遯之意指出；後來王弼註：「賢人乃隱，施慎則可」、朱熹註：「蓋或事當謹密，或時當隱遯也」，亦發揮了這一意義，可見《坤卦》六四一爻也包含了隱遯的思想。另外，《蠱卦》也蘊含了隱遯的思想，上九爻辭：「不事王侯，高尚其事」，唐初孔穎達發揮了王弼註的道家思想，解釋為：「最處事上，不復以世事為心，不繫累于職位，故不承事王侯，但自尊高慕，尚其清虛之事，故云『高尚其事』也。」所以後來高士便等同於隱士了。和這些相類似的話，亦見於《大過卦》的《大象傳》：「澤滅木，大過；君子以獨立不懼，遯世无悶。」復次是《明夷卦》，《彖傳》的解釋是：「明入地中，明夷。內文明而外柔順，以蒙大難，文王以之。利艱貞，晦其明也。」說的是身處危險而隱遯，以保存自己，雖然不完全是隱遯，但隱藏韜晦，外似愚晦，內則明哲，則是身在隱遯時最適當的做法，可以說是將隱遯的做法從另外一方面加以擴展了。如果再從相反方面引申，則見於《困卦》，《大象傳》：「澤无水，困；君子以致命遂志。」這和後來儒家的「士見危致命」（《論語．子張》）、「見危授命」（《論語．憲問》）相似，指在國家危難之時，不應明哲保身而隱遯，而應堅守志向，獻出生命以盡職責。但上述各卦，只是局部和「隱遯」有關，全面討論「隱遯」的則是《遯卦》。綜合上述各卦，可見《周易古經》注重「隱遯」，並提出了各種應付的方法。

後來的儒家，繼承了《周易古經》的觀點，在君子「仕」與「隱」之間，以「仕」為主，以「隱」為輔，從君臣大義的道德要求，注重出仕，「君子之仕也，行其義也。」（《論語．微子》：子路說君子出來做官，只是盡自己應盡的責任。）因為儒家的理想是平治天下，正是天下混亂不平，所以才需要出仕來救治。對於「隱遯」，則要求：「隱居以求其志，行義以達其道。」（《論語．季氏》：孔子說他聽過這說話：「避世隱居以保存他的道德理想，依循道德要求來貫徹他的理想做人之道。」）孟子則進一步擴展了孔子的主張，他說：「士窮不失義，達不離道。窮不失義，故士得己焉；達不離道，故民不失望焉。古之人，得志，澤加於民；不得志，修身見於世。窮則獨善其身，達則兼善天下。」（《孟子．盡心上》：所以士人雖然窮困，但不會捨去義；在仕宦得意時，也不會背離道。窮困不捨去義，士人所以安詳自得；得意不背離道，百姓所以不會對他失望。古代的人，得意，惠澤普施於百姓；不得意，則自我努力，修養個人品德，以此顯現感化世人。窮困，便獨善其身，得意，便兼善天下。）並說：「得志，與民由之；不得志，獨行其道。」（《孟子．滕文公下》：得志的時候，帶同百姓循着大道前進；不得志的時候，也獨自堅持實踐大道。）孟子並通過對古代的聖人的比較說：「非其君不事，非其民不使，治則進，亂則退，伯夷也。何事非君，何使非民，治亦進，亂亦進，伊尹也。可以仕則仕，可以止則止，可以久則久，可以速則速，孔子也。」（《孟子．公孫丑上》：「不是他理想的君主，他不去服事；不是他理想的百姓，他不去管治；天下太平時才出來做官，天下昏亂就隱遯，伯夷便是這樣的。任何的君主都可以去服事，任何的百姓都可以去管治，天下太平時既可做官，天下昏亂時也可以做官，伊尹便是這樣的。應該做官時，就做官，應該隱退時便隱退，應該長久做官，就長久做官，應該立刻辭職不幹，便立刻辭職不幹，這便是孔子。」）說明仕與隱應從「時」來決定，孔子便因最能從「時」來決定，所以孟子在評價古代聖人時，推許他為：「孔子，聖之時者也。孔子之謂集大成。」（《孟子．萬章下》：孔子則是聖人之中識「時」的人。孔子可以稱為集大成的聖人。）這樣，「出仕」和「隱遯」的是否適當，便須依據「時」和「義」來決定了。

老子和莊子亦繼承了《周易古經》的隱遯思想，但可能基於他們的哲學思想和受到長沮、桀溺、荷蓧丈人等隱士（並見《論語．微子》）的影響，所以和儒家孔子、孟子的觀點和做法有所不同。司馬遷的《史記．老莊申韓列傳》說老子「其學以自隱無名為務」，並稱「老子，隱君子也」，還記載了他出關歸隱，可見他是身隱，甚至還包括心隱。但《老子》一書，則沒有闡發他隱遯的理論。但他的後學莊子，雖然身為漆園吏，卻是身不隱而心隱的。而且在《莊子》一書中，亦提出了與「隱遯」有關的哲理，將長沮、桀溺「與其避人，不如避世」（見《論語．微子》）的隱遯思想再加以擴充，從而看透宇宙、看透國家、看透人生，甚至看透隱遯的執着，只是混跡於人間，以「心齋」、「坐忘」等作為思想指導，逍遙一生。

儒道兩家的「隱遯」，後世發展成為「隱逸」。兩家隱逸不同的地方是儒家的隱逸，主要是由於政治的黑暗，在政治不得意或受到迫害時隱逸。而隱逸的目的，消極方面是明哲保身以避害，但更重要的積極意義，則是以自己的德業對弊政作出抗議，影響政治，使政治也從而改變。由於政治包括政治、教化，因此除了政治外，尚以自己的言行對社會、群眾不合理的思想行為作出抗議，藉此移風易俗。因此他們的隱逸是從人文文化方面着眼，通過隱逸達致理想的道德人生。道家則脱離政治、鄙視政治，不和政治合作。但對世俗社會及世俗的人群的不合理想法和行動同樣是鄙視或抗議的，甚至通過震驚世俗的行動以引起人們的反省和改過。因此和儒家以隱逸來移風易俗頗有相似之處，但道家的隱逸是以《莊子・養生主》的保生、全生（生，性也）、養親、盡年為宗旨，因此是從自然文化方面着力，通過隱逸達致理想的藝術人生為目的的。

儒道兩家的隱逸，各有其優勝之處，亦各有其不足，可以互補。所以後來隱逸的人，多酌取兩家之旨，兩千多年來，成為影響中國文化極為深遠的哲學思想之一。他們在物質生活上節情寡慾，在心靈上超脫世俗，在追求人性道德的圓滿和高雅的同時，反映了對現實世俗的批評，從而為世間建立了人生的典範、德行的準則，和人文或藝術的理想。他們都是受過良好教育的知識分子，並具備一定的道德修養，自覺自願去完成這種文化偉業，所以對傳統的中國文化和政治有非常重要的影響。這種隱逸之風，後漢時經已形成。亦因有這重要意義，二十四正史中的范曄《後漢書》，為此首創了《逸民列傳》，以記載這些隱士或逸民。接着後來的二十本正史中，繼承了《後漢書》這個體例的如下：《晉書》有《高逸傳》，《宋書》有《隱逸傳》，《南齊書》有《高逸傳》，《梁書》有《處士傳》，《後魏書》有《逸士傳》，《南史》、《北史》、《隋書》、《舊唐書》、《新唐書》、《宋史》、《金史》、《元史》、《明史》都有《隱逸傳》。這些正史所載的是有重要影響力的隱逸之士，至於次要不載於正史的，則由州郡縣等地方誌記錄（傳世的超過二千種）。另有晉人皇甫謐首創《高士傳》，專門記錄隱士，凡九十六人，清人高兆的《續高士傳》，收錄隱士一百四十三人，可見隱逸確是在中國古代，受到廣泛尊重推崇的政治文化傳統和政治文化行為。

《周易古經》是備受古人傳習、信奉的《五經》的第一經，是傳統文化的遠源，影響傳统文化至深至鉅，本書所選講的十二卦因此便特別對此加以闡發，由源而至流，便更容易了解中國文化的特質和優勝之處了。

本書下冊，得梁卓恩律師悉心校正標點及錯字，並指示若干不足須增補之卓見，至為感謝，附記於書末，以誌銘感。

www.cosmosbooks.com.hk

書　　名　易卦闡幽（下冊）
作　　者　黃漢立
整　　理　蕭若碧　彭德貞
責任編輯　陳幹持
美術編輯　郭志民
出　　版　天地圖書有限公司
香港皇后大道東109-115號
智群商業中心15字樓（總寫字樓）
電話：2528 3671　傳真：2865 2609
香港灣仔莊士敦道30號地庫／1樓（門市部）
電話：2865 0708　傳真：2861 1541
印　　刷　亨泰印刷有限公司
柴灣利眾街27號德景工業大廈10字樓
電話：2896 3687　傳真：2558 1902
發　　行　香港聯合書刊物流有限公司
香港新界大埔汀麗路36號中華商務印刷大廈3字樓
電話：2150 2100　傳真：2407 3062
出版日期　2019年5月／初版

ISBN：978-988-8257-96-6